O corpo educado

Pedagogias da sexualidade

CB006857

Guacira Lopes Louro (org.)

—

O corpo educado

Pedagogias da sexualidade

4ª edição
5ª reimpressão

Guacira Lopes Louro
Jeffrey Weeks
Deborah Britzman
bell hooks
Richard Parker
Judith Butler

TRADUÇÃO: Tomaz Tadeu da Silva

autêntica aRGos

Copyright © 1999, 2018 Editora Autêntica

"O corpo e a sexualidade" (Jeffrey Weeks): publicado originalmente com o título "The body and sexuality", capítulo 11 do livro: Stuart Hall, David Held, Don Hubert e Kenneth Thompson (org.). Modernity. An introduction to modern societies. Londres: Blackwell, 1996. p. 363-394. © Jeffrey Weeks. Publicado aqui com a autorização do autor.

"Curiosidade, sexualidade e currículo" (Deborah Britzman). © Deborah Britzman. Publicado aqui com a autorização da autora.

"Eros, erotismo e o processo pedagógico" (bell hooks): publicado originalmente com o título "Eros, eroticism and the pedagogical process", capítulo 13 do livro: bell hooks. Teaching to transgress. Education as the practice of freedom. Nova York/Londres: Routledge, 1994. p. 191-199. Copyright © 1994 by Gloria Watkins. Reproduced by permission of Routledge, Inc.

"Cultura, economia política e construção social da sexualidade" (Richard Parker). © Richard Parker. Publicado aqui com a autorização do autor.

"Corpos que pesam: sobre os limites discursivos do 'sexo'" (Judith Butler): publicado originalmente com o título "Introduction", no livro: Judith Butler. Bodies that matter. On the discursive limites of 'sex'. Nova York/Londres: Routledge, 1993. p. 1-16. Copyright © 1993. Reproduced by permission of Routledge, Inc.

Todos os direitos reservados pela Autêntica Editora Ltda. Nenhuma parte desta publicação poderá ser reproduzida, seja por meios mecânicos, eletrônicos, seja via cópia xerográfica, sem a autorização prévia da Editora.

COORDENADOR DA COLEÇÃO ARGOS
Rogério Bettoni

EDITORAS
Cecília Martins
Rafaela Lamas

REVISÃO
Roberto Arreguy Maia

CAPA
Diogo Droschi (sobre imagem Treze estudos em duas fileiras de figuras abstratas apoiadas em três pernas cônicas, c. 1949–51, Robert Adams (1917–1984), Tate Archive. © Robert Adams Estate, C/O Gimpel Fils. Foto de ©Tate, London 2018.)

DIAGRAMAÇÃO
Waldênia Alvarenga

Dados Internacionais de Catalogação na Publicação (CIP)
Câmara Brasileira do Livro, SP, Brasil

O corpo educado : pedagogias da sexualidade / organização Guacira Lopes Louro ; tradução Tomaz Tadeu da Silva. -- 4. ed.; 5. reimp. -- Belo Horizonte : Autêntica, 2023. -- (Argos)

Vários autores.
Título original: The body and sexuality.

ISBN 978-85-513-0375-7

1. Corpo humano - Aspectos sociais 2. Educação sexual 3. Sexo (Psicologia) I. Louro, Guacira Lopes. II. Série.

18-13477 CDD-155.3

Índices para catálogo sistemático:
1. Sexualidade : Psicologia 155.3

Belo Horizonte
Rua Carlos Turner, 420
Silveira . 31140-520
Belo Horizonte . MG
Tel.: (55 31) 3465 4500

São Paulo
Av. Paulista, 2.073, Conjunto Nacional,
Horsa I . Sala 309 . Bela Vista
01311-940 . São Paulo . SP
Tel.: (55 11) 3034 4468

www.grupoautentica.com.br
SAC: atendimentoleitor@grupoautentica.com.br

SUMÁRIO

07 | **Pedagogias da sexualidade**
Guacira Lopes Louro

43 | **O corpo e a sexualidade**
Jeffrey Weeks

105 | **Curiosidade, sexualidade e currículo**
Deborah Britzman

143 | **Eros, erotismo e o processo pedagógico**
bell hooks

157 | **Cultura, economia política e construção social da sexualidade**
Richard Parker

191 | **Corpos que pesam: sobre os limites discursivos do "sexo"**
Judith Butler

Pedagogias da sexualidade

Guacira Lopes Louro

Como jovem mulher, eu sabia que a sexualidade era um assunto privado, alguma coisa da qual deveria falar apenas com alguém muito íntimo e, preferentemente, de forma reservada. A sexualidade – o sexo, como se dizia – parecia não ter nenhuma dimensão social; era um assunto pessoal e particular que, eventualmente, se confidenciava a uma amiga próxima. "Viver" plenamente a sexualidade era, em princípio, uma prerrogativa da vida adulta, a ser partilhada com um parceiro do sexo oposto. Mas, até chegar esse momento, o que se fazia? Experimentava-se, de algum modo, a sexualidade? Supunha-se uma "preparação" para vivê-la mais tarde? Em que instâncias se "aprendia" sobre sexo? O que se sabia? Que sentimentos se associavam a tudo isso?

Certamente as respostas a essas questões dependiam (e dependem) de inúmeros fatores. Geração, raça, nacionalidade, religião, classe, etnia seriam algumas das marcas que poderiam ajudar a ensaiar uma resposta. De modo especial, as profundas transformações que, nas últimas décadas, vêm afetando múltiplas dimensões da vida de mulheres e de homens e alterando as concepções, as práticas e as identidades sexuais teriam de ser levadas em consideração. Jovens ocidentais de grandes cidades do século XXI terão, sem dúvida, outras respostas (e, seguramente, outras perguntas) se comparados com a jovem que eu fui e com jovens de outras épocas, outras regiões...

As muitas formas de fazer-se mulher ou homem, as várias possibilidades de viver prazeres e desejos corporais são sempre sugeridas, anunciadas, promovidas socialmente (e hoje possivelmente de formas mais explícitas do que antes). Elas são também, renovadamente, reguladas, condenadas ou negadas. Na verdade, desde os anos 1960, o debate sobre as identidades e as práticas sexuais e de gênero vem se tornando cada vez mais acalorado, especialmente provocado pelo movimento feminista, pelos movimentos de gays e de lésbicas e sustentado, também, por todos aqueles e aquelas que se sentem ameaçados por essas manifestações. Novas identidades sociais tornaram-se visíveis, provocando, em seu processo de afirmação e diferenciação, novas divisões sociais e o nascimento do que passou a ser conhecido como "política de identidades" (Stuart Hall, 1997).

Se as transformações sociais que construíam novas formas de relacionamento e estilos de vida já se mostravam, nos anos 1960, profundas e perturbadoras, elas se acelerariam ainda mais, nas décadas seguintes, passando a intervir em setores que haviam sido, por muito tempo, considerados imutáveis, trans-históricos e universais. As novas tecnologias reprodutivas, as possibilidades de transgredir categorias e fronteiras sexuais, as articulações corpo-máquina a cada dia desestabilizam antigas certezas; implodem noções tradicionais de tempo, de espaço, de "realidade"; subvertem as formas de gerar, de nascer, de crescer, de amar ou de morrer. Jornais e revistas informam, agora, que um jovem casal decidiu congelar o embrião que havia gerado, no intuito de adiar o nascimento de seu filho para um momento em que disponha de melhores condições para criá-lo; contam que mulheres estão dispostas a abrigar o sêmen congelado de um artista famoso já morto; revelam a batalha judicial de indivíduos que, submetidos a um conjunto complexo de intervenções médicas e psicológicas, reclamam uma identidade civil feminina para completar o processo de transexualidade que empreenderam. Conectados pela Internet, sujeitos estabelecem relações amorosas que desprezam dimensões de espaço, de tempo, de gênero, de sexualidade e estabelecem jogos de identidade múltipla nos quais o anonimato e a troca de identidade são frequentemente utilizados (Kenway, 1998). Embaladas pela ameaça da AIDS e pelas possibilidades cibernéticas, práticas sexuais virtuais substituem ou complementam as práticas face a face. Por outro lado, adolescentes experimentam, mais cedo, a maternidade e a paternidade; uniões afetivas e sexuais estáveis entre sujeitos do mesmo sexo se tornam crescentemente visíveis e rotineiras; arranjos familiares se multiplicam e se modificam...

Todas essas transformações afetam, sem dúvida, as formas de viver e de construir identidades de gênero e sexuais. Na verdade, tais transformações constituem novas formas de existência para todos, mesmo para aqueles que, aparentemente, não as experimentam de modo direto. Elas permitem novas soluções para as indagações que sugeri e, obviamente, provocam novas e desafiadoras perguntas. Talvez seja possível, contudo, traçar alguns pontos comuns para sustentação das respostas. O primeiro deles remete-se à compreensão de que a sexualidade não é apenas uma questão pessoal, mas é social e política; o segundo, ao fato de que a sexualidade é "aprendida", ou melhor, é construída, ao longo de toda a vida, de muitos modos, por todos os sujeitos.

Compondo identidades

Muitos consideram que a sexualidade é algo que todos nós, mulheres e homens, possuímos "naturalmente". Aceitando essa ideia, fica sem sentido argumentar a respeito de sua dimensão social e política ou a respeito de seu caráter construído. A sexualidade, nesse caso, seria algo "dado" pela natureza, inerente ao ser humano. Tal concepção usualmente se ancora no corpo e na suposição de que todos vivemos nossos corpos, universalmente, da mesma forma. No entanto, admitimos que a sexualidade envolve rituais, linguagens, fantasias, representações, símbolos, convenções... Processos profundamente culturais e plurais. Nessa perspectiva, nada há de exclusivamente "natural" nesse terreno, a começar pela própria concepção de corpo, ou mesmo de natureza. Através de processos culturais, definimos o que é – ou não – natural; produzimos e transformamos a natureza e a biologia e, consequentemente, as tornamos históricas. Os corpos ganham sentido socialmente. A inscrição dos gêneros – feminino ou masculino – nos corpos é feita, sempre, no contexto de uma determinada cultura e, portanto, com as marcas dessa cultura. As possibilidades da sexualidade – das formas de expressar os desejos e prazeres – também são sempre socialmente estabelecidas e codificadas. As identidades de gênero e sexuais são, portanto, compostas e definidas por relações sociais, elas são moldadas pelas redes de poder de uma sociedade.

A sexualidade, afirma Foucault, é um "dispositivo histórico" (1988). Em outras palavras, ela é uma invenção social, uma vez que se constitui, historicamente, a partir de múltiplos discursos sobre o sexo: discursos que regulam, que normatizam, que instauram saberes, que produzem "verdades". Sua definição de dispositivo sugere a direção e a abrangência de nosso olhar:

> um conjunto decididamente heterogêneo que engloba discursos, instituições, organizações arquitetônicas, decisões regulamentares, leis, medidas administrativas, enunciados científicos, proposições filosóficas, morais, filantrópicas [...] o dito e o não dito são elementos do dispositivo. O dispositivo é a rede que se pode estabelecer entre esses elementos (Foucault, 1993, p. 244).

É, então, no âmbito da cultura e da história que se definem as identidades sociais (todas elas e não apenas as identidades sexuais e de gênero, mas também as identidades de raça, de nacionalidade, de classe, etc.). Essas múltiplas e distintas identidades constituem os sujeitos, na medida em que esses são interpelados a partir de diferentes situações, instituições ou agrupamentos sociais. Reconhecer-se numa identidade supõe, pois, responder afirmativamente a uma interpelação e estabelecer um sentido de pertencimento a um grupo social de referência. Nada há de simples ou de estável nisso tudo, pois essas múltiplas identidades podem cobrar, ao mesmo tempo, lealdades distintas, divergentes ou até contraditórias. Somos sujeitos de muitas identidades. Essas múltiplas identidades sociais podem ser, também, provisoriamente atraentes e, depois, nos parecerem descartáveis; elas podem ser, então, rejeitadas e abandonadas. Somos sujeitos de identidades transitórias e contingentes. Portanto, as identidades sexuais e de gênero (como todas as identidades sociais) têm o caráter fragmentado, instável, histórico e plural, afirmado pelos teóricos e teóricas culturais.

Admite-se (embora com algumas resistências) que um operário venha a se transformar num patrão ou que uma camponesa se torne empresária. Representados de formas novas, ele ou ela provavelmente também passam a se perceber como outros sujeitos, com outros interesses e estilos de vida. Aceita-se a transitoriedade ou a contingência de identidades de classe. A situação torna-se mais complicada, no entanto, se um processo semelhante ocorre com relação às identidades de gênero e sexuais. Uma notícia de jornal[1] pode servir de exemplo: numa pequena cidade da Alemanha, o prefeito, algum tempo depois de eleito, assume publicamente uma nova identidade de gênero. Ele agora se apresenta como mulher e comunica sua intenção de completar essa transformação através de processos médicos, especialmente cirúrgicos. A cidade inicia um movimento para destituí-lo, pois, na opinião de grande parte da população, ele é agora "outra" pessoa. Seus eleitores sentem-se enganados e com o direito de anular sua escolha, pois ele transgrediu uma fronteira considerada intransponível e proibida. Uma mudança que, aparentemente, estaria mais ligada à sua vida pessoal é questionada de modo radical, supondo-se que ela afetará sua atividade de governante. Curiosamente, no entanto, não se pensa em destituir um homem ou uma mulher públicos que abandonem as ideias ou as proposições que defenderam e pelas quais foram eleitos e se vinculem a partidos ou grupos diametralmente opostos. Ainda que, nesse caso, as mudanças possam ter um efeito muito mais direto e imediato na função pública, a questão é banalizada. Quando uma figura de destaque assume, publicamente, sua condição de gay ou de lésbica também é

[1] A notícia, divulgada através da Associated Press, refere-se ao prefeito Norbert Michael Lindner, da cidade de Quellendorf, na Alemanha, que comunicou sua decisão de mudar de gênero, tornando-se mulher, em setembro de 1998.

frequente que seja vista como protagonizando uma fraude; como se esse sujeito tivesse induzido os demais a um erro, a um engano. A admissão de uma nova identidade sexual ou de uma nova identidade de gênero é considerada uma alteração essencial, uma alteração que atinge a "essência" do sujeito.

Pela centralidade que a sexualidade adquiriu nas modernas sociedades ocidentais, parece ser difícil entendê-la como tendo as propriedades de fluidez e inconstância. Frequentemente nos apresentamos (ou nos representamos) a partir de nossa identidade de gênero e de nossa identidade sexual. Essa parece ser, usualmente, a referência mais "segura" sobre os indivíduos. Conforme diz Jeffrey Weeks (1995, p. 89), podemos reconhecer, teoricamente, que nossos desejos e interesses individuais e nossos múltiplos pertencimentos sociais possam nos "empurrar" em várias direções; no entanto, nós "tememos a incerteza, o desconhecido, a ameaça de dissolução que implica não ter uma identidade fixa"; por isso, tentamos fixar uma identidade, afirmando que o que somos agora é o que, na verdade, sempre fomos. Precisamos de algo que dê um fundamento para nossas ações e, então, construímos nossas "narrativas pessoais", nossas biografias, de uma forma que lhes garanta coerência. Para Weeks é aqui, justamente, que o corpo se torna a referência central:

> Num mundo de fluxo aparentemente constante, onde os pontos fixos estão se movendo ou se dissolvendo, seguramos o que nos parece mais tangível, a verdade de nossas necessidades e desejos corporais. [...] O corpo é visto como a corte de julgamento final sobre o que somos ou o que podemos nos tornar. Por que outra razão estamos tão preocupados em saber se os desejos sexuais, sejam hetero ou homossexuais, são inatos ou adquiridos? Por que outra razão estamos tão preocupados em saber se o comportamento

> generificado corresponde aos atributos físicos? Apenas porque tudo o mais é tão incerto que precisamos do julgamento que, aparentemente, nossos corpos pronunciam (Weeks, 1995, p. 90-91).

Nossos corpos constituem-se na referência que ancora, por fim, a identidade. E, aparentemente, o corpo é inequívoco, evidente por si; em consequência, esperamos que o corpo dite a identidade, sem ambiguidades nem inconstância. Aparentemente se deduz uma identidade de gênero, sexual ou étnica de "marcas" biológicas; o processo é, no entanto, muito mais complexo, e essa dedução pode ser (e muitas vezes é) equivocada. Os corpos são significados pela cultura e são, continuamente, por ela alterados. Talvez devêssemos nos perguntar, antes de tudo, como determinada característica passou a ser reconhecida (passou a ser significada) como uma "marca" definidora da identidade; perguntar, também, quais os significados que, nesse momento e nessa cultura, estão sendo atribuídos a tal marca ou a tal aparência. Pode ocorrer, além disso, que os desejos e as necessidades que alguém experimenta estejam em discordância com a aparência de seu corpo. Weeks (1995) lembra que o corpo é inconstante, que suas necessidades e desejos mudam. O corpo se altera com a passagem do tempo, com a doença, com mudanças de hábitos alimentares e de vida, com possibilidades distintas de prazer ou com novas formas de intervenção médica e tecnológica. Num tempo de AIDS, por exemplo, a preocupação com o exercício do "sexo seguro" vem sugerindo novos modos de encontrar prazer corporal, alterando práticas sexuais ou produzindo outras formas de relacionamento entre os sujeitos. Usando a metáfora do ciborgue cunhada por Donna Harraway (1991), temos de admitir, contemporaneamente, que muitas fronteiras foram transgredidas: há agora "potentes fusões e perigosas possibilidades" que tornam problemáticos os dualismos de mente e corpo, animal e máquina, humano e animal. Os corpos não são, pois, tão evidentes como usualmente pensamos. Nem as identidades são uma decorrência direta das "evidências" dos corpos.

De qualquer forma, investimos muito nos corpos. De acordo com as mais diversas imposições culturais, nós os construímos de modo a adequá-los aos critérios estéticos, higiênicos, morais, dos grupos a que pertencemos. As imposições de saúde, vigor, vitalidade, juventude, beleza, força são distintamente significadas, nas mais variadas culturas e são também, nas distintas culturas, diferentemente atribuídas aos corpos de homens ou de mulheres. Através de muitos processos, de cuidados físicos, exercícios, roupas, aromas, adornos, inscrevemos nos corpos marcas de identidades e, consequentemente, de diferenciação. Treinamos nossos sentidos para perceber e decodificar essas marcas e aprendemos a classificar os sujeitos pelas formas como eles se apresentam corporalmente, pelos comportamentos e gestos que empregam e pelas várias formas com que se expressam.

É fácil concluir que nesses processos de reconhecimento de identidades inscreve-se, ao mesmo tempo, a atribuição de diferenças. Tudo isso implica a instituição de desigualdades, de ordenamentos, de hierarquias, e está, sem dúvida, estreitamente imbricado com as redes de poder que circulam numa sociedade. O reconhecimento do "outro", daquele ou daquela que não partilha dos atributos que possuímos, é feito a partir do lugar social que ocupamos. De modo mais amplo, as sociedades realizam esses processos e, então, constroem os contornos demarcadores das fronteiras entre aqueles que representam a norma (que estão em consonância com seus padrões culturais) e aqueles que ficam fora dela, às suas margens. Em nossa sociedade, a norma que se estabelece, historicamente, remete ao homem branco, heterossexual, de classe média urbana e cristão, e essa passa a ser a referência que não precisa mais ser nomeada. Serão os "outros" sujeitos sociais que se tornarão "marcados", que se definirão e serão denominados a partir dessa referência. Desta forma, a mulher é representada como "o segundo sexo", e gays e lésbicas são descritos como desviantes da norma heterossexual.

Ao classificar os sujeitos, toda sociedade estabelece divisões e atribui rótulos que pretendem fixar as identidades. Ela define, separa e, de formas sutis ou violentas, também distingue e discrimina. Tomaz Tadeu da Silva (1999) afirma:

> Os diferentes grupos sociais utilizam a representação para forjar a sua identidade e as identidades dos outros grupos sociais. Ela não é, entretanto, um campo equilibrado de jogo. Por meio da representação travam-se batalhas decisivas de criação e imposição de significados particulares: esse é um campo atravessado por relações de poder. [...] o poder define a forma como se processa a representação; a representação, por sua vez, tem efeitos específicos, ligados, sobretudo, à produção de identidades culturais e sociais, reforçando, assim, as relações de poder.

Distintas e divergentes representações podem, pois, circular e produzir efeitos sociais. Algumas delas, contudo, ganham uma visibilidade e uma força tão grandes que deixam de ser percebidas como representações e são tomadas como sendo a realidade. Os grupos sociais que ocupam as posições centrais, "normais" (de gênero, de sexualidade, de raça, de classe, de religião, etc.) têm possibilidade não apenas de representar a si mesmos, mas também de representar os outros. Eles falam por si e também falam pelos "outros" (e sobre os outros); apresentam como padrão sua própria estética, sua ética ou sua ciência e arrogam-se o direito de representar (pela negação ou pela subordinação) as manifestações dos demais grupos. Por tudo isso, podemos afirmar que as identidades sociais e culturais são políticas. As formas como elas se representam ou são representadas, os significados que atribuem às suas experiências e práticas é, sempre, atravessado e marcado por relações de poder. A "política de identidade", antes referida, ganha sentido nesse contexto, pois, como diz Tomaz T. Silva (1999), é através dela que "os grupos subordinados contestam precisamente a normalidade e a hegemonia" das identidades tidas como "normais".

Esses mecanismos operam, fortemente, no campo da sexualidade. Aqui, uma forma de sexualidade é generalizada e naturalizada e funciona como referência para todo o campo e para todos os sujeitos. A heterossexualidade é concebida como "natural" e também como universal e normal. Aparentemente supõe-se que todos os sujeitos tenham uma inclinação inata para eleger como objeto de seu desejo, como parceiro de seus afetos e de seus jogos sexuais alguém do sexo oposto. Consequentemente, as outras formas de sexualidade são constituídas como antinaturais, peculiares e anormais. É curioso observar, no entanto, o quanto essa inclinação, tida como inata e natural, é alvo da mais meticulosa, continuada e intensa vigilância, bem como do mais diligente investimento.

Educando corpos, produzindo a sexualidade "normal"

Philip R. D. Corrigan conta sobre suas experiências escolares num artigo intitulado *The making of the boy: meditations on what grammar school did with, to, and for my body* (1991). Através de algumas lembranças dolorosas, curiosas e profundamente particulares, ele descreve um processo de escolarização do corpo e a produção de uma masculinidade, demonstrando como a escola pratica a pedagogia da sexualidade, o disciplinamento dos corpos. Tal pedagogia é muitas vezes sutil, discreta, contínua, mas, quase sempre, eficiente e duradoura. O artigo provocou minhas próprias lembranças escolares. Elas são, sob muitos aspectos, extremamente distintas das dele, mas também apresentam alguns pontos em comum.

Corrigan (1991, p. 200) destaca sua entrada numa grande escola particular inglesa: "O primeiro dia ficou impresso com horror para o resto de minha vida", diz ele, "as regras de *Aske* [o nome da escola] permitiam – para bem produzir o menino – formas legitimadas de violência exercidas por alguns garotos (*senior* ou maiores sob alguns aspectos) sobre os 'novos'". Conforme ele conta, a "produção do menino" era um projeto amplo, integral, que se desdobrava em inúmeras situações e que tinha como alvo uma determinada forma de masculinidade. Era uma masculinidade dura, forjada no esporte, na competição e numa violência consentida. Na percepção de Corrigan, todos os investimentos eram feitos no corpo e sobre o corpo. Nas escolas, segundo ele (p. 210), os corpos "são ensinados, disciplinados, medidos, avaliados, examinados, aprovados (ou não), categorizados, magoados, coagidos, consentidos..." A passagem pela adolescência, numa rígida escola inglesa, deixaria para sempre marcas no seu corpo.

Minhas lembranças escolares parecem menos duras. Mas hoje tenho consciência de que a escola também deixou marcas expressivas em meu corpo e me ensinou a usá-lo de uma determinada forma. Numa escola pública brasileira predominantemente feminina, os métodos foram outros, os resultados pretendidos eram diversos. Ali nos ensinavam a sermos dóceis, discretas, gentis, a obedecer, a pedir licença, a pedir desculpas. Certamente também nos ensinaram, como a Corrigan, as ciências, as letras, as artes que deveríamos manejar para sobreviver socialmente. Mas essas informações e habilidades foram transmitidas e atravessadas por sutis e profundas imposições físicas. Jovens escolarizados, aprendemos, tanto ele quanto eu, a suportar o cansaço e a prestar atenção ao que professores e professoras diziam; a utilizar códigos para debater, persuadir, vencer; a empregar os gestos e os comportamentos adequados e distintivos daquelas instituições. Os propósitos desses investimentos escolares eram a produção de um homem e de uma mulher "civilizados", capazes de viver em coerência e adequação nas sociedades inglesa e brasileira, respectivamente.

A ação pedagógica mais explícita, aquela que encheria as páginas dos planejamentos e dos relatórios educacionais, voltava-se, muito provavelmente, para a descrição, em detalhes, das características que constituíam a qualificação "civilizado", ou seja, voltava-se de forma manifesta para os atributos lógicos e intelectuais que, supostamente, seriam adquiridos na escola, através de práticas de ensino específicas. O investimento mais profundo, contudo, o investimento de base da escolarização se dirigia para o que era substantivo:

para a formação de homens e mulheres "de verdade". Em que consistia isso? Existiam (e, sem dúvida, existem) algumas referências e critérios para discernir e decidir o quanto cada menino ou menina, cada adolescente e jovem estava se aproximando ou se afastando da "norma" desejada. Por isso, possivelmente, as marcas mais permanentes que atribuímos às escolas não se referem aos conteúdos programáticos que elas possam nos ter apresentado, mas sim se referem a situações do dia a dia, a experiências comuns ou extraordinárias que vivemos no seu interior, com colegas, com professoras e professores. As marcas que nos fazem lembrar, ainda hoje, dessas instituições têm a ver com as formas como construímos nossas identidades sociais, especialmente nossa identidade de gênero e sexual.

Uma de minhas lembranças mais fortes e recorrentes a respeito de minha vida escolar está ligada à importância que era atribuída àquela escola como "escola padrão". Fazia parte dessa representação uma engenhosa combinação de tradição e modernidade, na qual o peso da tradição prevalecia, seguramente. De algum modo parecia que cabia a nós, estudantes, carregar o peso daquela instituição. Talvez se esperasse que nós fôssemos, também, uma espécie de estudante "padrão". Lembro-me de ouvir, sempre, a mensagem de que, vestidas com o uniforme da escola, nós "éramos a escola"! Isso implicava a obrigação de manter um comportamento "adequado", respeitoso e apropriado, em qualquer lugar, a qualquer momento. O uniforme – saia azul pregueada e blusa branca com um laço azul marinho – era, ao mesmo tempo, cobiçado por ser distintivo da instituição e desvirtuado por pequenas transgressões. A saia, mantida num comprimento "decente" no interior da escola, era suspendida ao sair dali, enrolada na cintura de forma a conseguir um estilo "mini", mais condizente com a moda; o laço descia (do botão mais alto da blusa rente à gola onde deveria estar) alguns centímetros, de forma a proporcionar um decote mais atraente (o número de botões dependia da ousadia de cada uma). Essas subversões, quando descobertas por alguma funcionária ou professora da escola, *em qualquer lugar da cidade*, eram alvo de repreensões individuais ou coletivas, particulares ou comunicadas aos pais e mães, etc. (O olhar panóptico ia muito além das fronteiras do prédio escolar!) A preocupação com o uniforme, defendida pela escola como uma forma de democratizar os trajes de suas estudantes e poupar gastos com roupas, era reiterada cotidianamente, com implicações que transitavam pelos terrenos da higiene, da estética e da moral. Apesar de submetidas a seu uso obrigatório, a maioria de nós tentava introduzir alguma marca pessoal que pudesse afirmar "esta sou eu". Adolescentes, estávamos cada vez mais conscientes de que podíamos inscrever em nossos corpos indicações do tipo de mulher que éramos ou que desejávamos ser. O cinema, a televisão, as revistas e a publicidade (que também exerciam sua pedagogia) nos pareciam guias mais confiáveis para dizer como era uma mulher desejável, e tentávamos, o quanto era possível, nos aproximar dessa representação. A escola, por seu lado, pretendia desviar nosso interesse para outros assuntos, adiando, a todo preço, a atenção sobre a sexualidade.

Essa dessexualização do espaço escolar atingia também nossas professoras e professores. Ao ler o livro de Debbie Epstein e Richard Johnson, *Schooling sexualities* (1998), deparei-me com uma situação muito semelhante à que existia em minha antiga escola. Relatando uma pesquisa numa instituição inglesa atual, eles assim descrevem uma assembleia escolar:

> Os professores e professoras chegam com seus formulários e tomam seus lugares ao longo das paredes do hall (diversamente das meninas, eles/as não têm de se sentar de pernas cruzadas no chão). [...] observam as estudantes com um olhar disciplinar. Eles e elas também vestem uma espécie de uniforme. Os poucos homens trajam calças cinza de flanela e camisas de cores lisas com uma gravata e uma jaqueta (mas não um paletó). As mulheres se vestem de cores variadas, mas de estilos semelhantes. Estão vestidas de modo a parecerem "respeitáveis". Calçam sapatos práticos, mas nada muito feminino. Não há saltos altos nem botas aqui. Em vez disso, sapatos baixos ou de saltos moderados. Não há nenhuma "última moda", nenhum indicativo de estilo heterossexual, gay ou lésbico entre os professores e as professoras (Epstein; Johnson, 1998, p. 111).

As mulheres que habitam minhas memórias escolares também se assemelham a esse quadro, com um agravante para o meu (o nosso) olhar juvenil: um número expressivo delas era "solteirona"! A palavra tinha um peso muito forte nos anos sessenta. Representava não apenas uma mulher que não era casada, mas uma mulher virgem, que não havia sido tocada. A atmosfera religiosa que cercava a vida escolar acentuava sua apresentação discreta e austera, e vários outros indícios nos sinalizavam que essas eram mulheres sós. Sobre algumas delas circulavam histórias de noivos que haviam morrido antes do casamento, e isso explicava por que essas se vestiam constantemente de luto, sem qualquer traço de maquiagem. Lembro que eram um tema recorrente de nossas conversas: imaginávamos como viviam e criávamos apelidos e códigos que nos permitiam falar delas de forma cifrada, só compreensível para quem pertencia ao grupo. Mas quem desejaria se parecer com elas? A figura era, certamente, muito pouco atraente para nós, reforçada, ainda, pela representação social da professora-solteirona. Como tornar, então, o magistério uma opção sedutora, numa escola que, afinal, pretendia formar professoras? Em que medida decidir por essa profissão nos obrigaria a carregar alguns desses traços? Como subverter tudo isso? As poucas professoras mais jovens ou casadas (preferentemente as que detinham os dois atributos) ganhavam, geralmente, nossa admiração. Elas acenavam para uma representação de magistério (e, principalmente, de mulher) que nos parecia mais "moderna".

Não pretendo atribuir à escola nem o poder nem a responsabilidade de explicar as identidades sociais, muito menos de determiná-las de forma definitiva. É preciso reconhecer, contudo, que suas proposições, suas imposições e proibições fazem sentido, têm "efeitos de verdade", constituem parte significativa das histórias pessoais. É verdade que muitos indivíduos não passam pela instituição escolar, e que essa instituição, resguardadas algumas características comuns, é diferenciada internamente. As sociedades urbanas, no entanto, ainda apostam muito na escola, criando mecanismos legais e morais para obrigar que todos enviem seus filhos e filhas à instituição e que eles ali permaneçam alguns anos. Essas imposições, mesmo quando irrealizadas, têm consequências. Afinal, passar ou não pela escola, muito ou pouco tempo, é uma das distinções sociais. Os corpos dos indivíduos devem, pois, apresentar marcas visíveis desse processo; marcas que, ao serem valorizadas por essas sociedades, tornam-se referência para todos.

Um corpo escolarizado é capaz de ficar sentado por muitas horas e tem, provavelmente, a habilidade para expressar gestos ou comportamentos indicativos de interesse e de atenção, mesmo que falsos. Um corpo disciplinado pela escola é treinado no silêncio e em determinado modelo de fala; concebe e usa o tempo e o espaço de forma particular. Mãos, olhos e ouvidos estão adestrados para tarefas intelectuais, mas possivelmente desatentos ou desajeitados para outras tantas.

Na investigação de uma escola religiosa masculina (Louro, 1995), ouvi as lembranças de um homem sobre seu passado escolar:

> [...] uma coisa que foi impresso [em mim], lá, foi primeiro pensar e depois falar. O controle, o autocontrole emocional... controlar-se para não explodir era uma coisa em que eles insistiam muito, porque os nossos modelos eram sempre os santos... Eles liam muito para gente vidas de santos. Então, lembro de uma coisa que eu treinava e que foi uma coisa que eles imprimiram em mim... Como é que tu podes ter o autocontrole? É aquela história: tu contas até 10 antes de explodir, não é? [...] então, se eu chegasse em casa louco para contar alguma coisa, eu devia, primeiro, me "segurar" um pouco. (Conta até 10 antes de contar o que tu queres contar!) Eu me segurava, me segurava, segurava, segurava e aí, depois, eu contava. Eu treinava isso, era um exercício! Aquilo foi uma coisa que calou em mim e acho que ficou impressa em mim até hoje... Eu sou uma pessoa assim, muito controlada... Claro que eu também tenho as minhas explosões como todo mundo, mas, de um modo geral, eu aprendi a me controlar e aprendi a primeiro ouvir e depois falar... (A., depoimento).

As tecnologias utilizadas pela escola alcançam, aqui, o resultado pretendido: o autodisciplinamento, o investimento continuado e autônomo do sujeito sobre si mesmo. Com a cautela que deve cercar todas as afirmações pretensamente gerais, é possível dizer que a masculinidade forjada nessa instituição particular almejava um homem controlado, capaz de evitar "explosões" ou manifestações impulsivas e arrebatadas. O homem "de verdade", nesse caso, deveria ser ponderado, provavelmente contido na expressão de seus sentimentos. Consequentemente, podemos supor que a expressão de emoções e o arrebatamento seriam considerados, em contraponto, características femininas.

Alguns estudiosos afirmam que são comuns, entre rapazes e homens, em muitas sociedades, os tabus sobre a expressão de sentimentos, o culto a uma espécie de "insensibilidade" ou dureza. Nas suas relações de amizade, podem ser acentuadas a camaradagem e a lealdade; no entanto, são mais ou menos frequentes os obstáculos culturais à intimidade e à troca de confidências entre eles (Kimmel; Messner, 1992). Ainda que inúmeras situações atestem estreitos laços de amizade entre meninos, rapazes e homens adultos, em uma ótica essencialista, intimidade e confidências não costumam ser consideradas "atributos" masculinos (Morrel, 1994). A competição, que é frequentemente enfatizada na formação masculina, também parece dificultar que meninos e jovens "se abram" com seus colegas, expondo suas dificuldades e fraquezas. Para um garoto (mais do que para uma garota), tornar-se um adulto bem-sucedido implica vencer, ser o melhor ou, pelo menos, ser "muito bom" em alguma área. O caminho mais óbvio, para muitos, é o esporte (no caso brasileiro, o futebol), usualmente também agregado como um interesse masculino "obrigatório".

Para construir um corpo vitorioso no esporte, colocam-se em ação técnicas, exercícios, adestramentos, disputas, enfrentamentos. Talvez por isso o mesmo homem que me contou suas memórias escolares responsabilize seu corpo por sua vocação intelectual. No decorrer da longa entrevista que tivemos, ele repetiu, várias vezes, que "era miúdo", que tinha um corpo "frágil", pouco adequado para o esporte. Sua escola, como grande parte das escolas masculinas, enfatizava o esporte e, nesse terreno, suas chances de sucesso pareciam pequenas. Ele "escolheu", então, investir no campo intelectual. Ali estava sua oportunidade de vencer e de tornar-se o melhor. Por ser "miúdo", ele também usou "calças curtas" por muito tempo ("afinal era mais barato, pois gastava menos pano e mesmo que ralasse os joelhos não rasgava a calça"). A situação, que persistiu mesmo quando ele já estava mais "adiantado", deixava-o "louco de vergonha", pois, arremata: "todos usavam calça comprida, menos eu!" O corpo parecia mantê-lo criança quando já era um adolescente, prejudicando seu embate com os parceiros de sua idade.

Para Foucault (1993, p. 146), "o domínio e a consciência de seu próprio corpo só puderam ser adquiridos pelo efeito do investimento do corpo pelo poder: a ginástica, os exercícios, o desenvolvimento muscular, a nudez, a exaltação do belo corpo". Historicamente, os sujeitos tornam-se conscientes de seus corpos na medida em que há um investimento disciplinar sobre eles. Quando o poder é exercido sobre nosso corpo, "emerge inevitavelmente a reivindicação do próprio corpo contra o poder". Buscamos, todos, formas de resposta, de resistência, de transformação ou de subversão para as imposições e os investimentos disciplinares feitos sobre nossos corpos.

Num corpo de menina, é um evento marcante a chegada da primeira menstruação. A primeira menstruação está carregada de sentidos, que (mais uma vez) são distintos segundo as culturas e a história. Joan Brumberg (1998) escreveu uma "história íntima das garotas americanas", em que demonstra as profundas transformações que foram vividas pelas adolescentes, no trato e na produção de seu corpo, nos últimos séculos. A primeira menstruação passou, nesse período, de tema privado para público (tornando-se um interesse do mercado); o momento, antes tratado fundamentalmente como um marco de "passagem" da infância para a vida adulta, era vinculado, estreita e diretamente, à sexualidade e à capacidade reprodutiva das mulheres; mais tarde, no entanto, com o advento dos absorventes e de outros produtos industrializados e com a medicalização da menstruação, de certa forma, essas questões ficaram secundarizadas e ganharam maior destaque a higiene e a proteção do corpo, a limpeza e a aparência. A expectativa e a ansiedade pela primeira menstruação, a comparação com as colegas de escola estão entre as lembranças significativas de muitas de nós. Como desejávamos participar das rodas de conversa sobre as minúcias desses períodos! Elas serviam, de certo modo, para fazer uma separação entre quem ainda era menina e aquelas que já eram "moças". Essas conversas representavam, quase sempre, a porta de entrada para muitas outras confidências e discussões sobre a sexualidade e se constituíam num espaço privilegiado para construção de saberes sobre nossos corpos e desejos. Na leitura de diários de jovens das mais distintas gerações (conforme a pesquisa de Joan Brumberg), são notáveis as mudanças na forma de registro desse momento, no tipo de linguagem utilizada para fazer referências ao corpo e à sexualidade. Difere também o apelo à mãe, a outras mulheres, a amigas ou, mais recentemente, a busca do supermercado mais próximo para adquirir o absorvente. A reclusão e a imobilidade de tempos antigos são substituídas pelo estímulo à atividade e à higiene dos tempos atuais. A extensa ladainha de cólicas, dores de cabeça e cuidados parece pouco adequada para o modelo de mulher dinâmica vendido pela publicidade. No entanto, em nossa cultura, para muitas mulheres hoje adultas, não é possível esquecer as antigas recomendações; recomendações que chegavam até mesmo a impedir de "lavar a cabeça" ou "tomar banho frio" durante o período menstrual. Nas escolas, essa era uma justificativa aceita para dispensa das aulas de educação física, e muitas garotas faziam uso desse expediente todos os meses, pois, afinal, nesses dias estavam "doentes". As professoras também tinham direito à falta mensal justificada, supostamente dado o fato de que suas condições para dar aulas "naqueles dias" poderiam não ser adequadas.

Todas essas práticas e linguagens constituíam e constituem sujeitos femininos e masculinos; foram – e são – produtoras de "marcas". Homens e mulheres adultos contam como determinados comportamentos ou modos de ser parecem ter sido "gravados" em suas histórias pessoais. Para que se efetivem essas marcas, um investimento significativo é posto em ação: família, escola, mídia, igreja, lei participam dessa produção. Todas essas instâncias realizam uma pedagogia, fazem um investimento que, frequentemente, aparece de forma articulada, reiterando identidades e práticas hegemônicas enquanto subordina, nega ou recusa outras identidades e práticas; outras vezes, contudo, essas instâncias disponibilizam representações divergentes, alternativas, contraditórias.

A produção dos sujeitos é um processo plural e também permanente. Esse não é, no entanto, um processo do qual os sujeitos participem como meros receptores, atingidos por instâncias externas e manipulados por estratégias alheias. Em vez disso, os sujeitos estão implicados e são participantes ativos na construção de suas identidades. Se múltiplas instâncias sociais, entre elas a escola, exercitam uma pedagogia da sexualidade e do gênero e colocam em ação várias tecnologias de governo, esses processos prosseguem e se completam através de tecnologias de autodisciplinamento e autogoverno que os sujeitos exercem sobre si mesmos. Na constituição de mulheres e homens, ainda que nem sempre de forma evidente e consciente, há um investimento continuado e produtivo dos próprios sujeitos na determinação de suas formas de ser ou "jeitos de viver" sua sexualidade e seu gênero.

A despeito de todas as oscilações, contradições e fragilidades que marcam esse investimento cultural, a sociedade busca, intencionalmente, através de múltiplas estratégias e táticas, "fixar" uma identidade masculina ou feminina "normal" e duradoura. Esse intento articula, então, as identidades de gênero "normais" a um único modelo de identidade sexual: a identidade heterossexual (Louro, 1997; 1998). Nesse processo, a escola tem uma tarefa bastante importante e difícil. Ela precisa se equilibrar sobre um fio muito tênue: de um lado, incentivar a sexualidade "normal" e, de outro, simultaneamente, contê-la. Um homem ou uma mulher "de verdade" deverão ser, necessariamente, heterossexuais e serão estimulados para isso. Mas a sexualidade deverá ser adiada para mais tarde, para depois da escola, para a vida adulta. É preciso manter a "inocência" e a "pureza" das crianças (e, se possível, dos adolescentes), ainda que isso implique o silenciamento e a negação da curiosidade e dos saberes infantis e juvenis sobre as identidades, as fantasias e as práticas sexuais. Aqueles e aquelas que se atrevem a expressar, de forma mais evidente, sua sexualidade são alvo imediato de redobrada vigilância, ficam "marcados" como figuras que se desviam do esperado, por adotarem atitudes ou comportamentos que não são condizentes com o espaço escolar. De algum modo são indivíduos "corrompidos" que fazem o contraponto da criança inocente e pura. Debbie Epstein e Richard Johnson (1998, p. 119) referem-se a uma situação dessas, não por acaso tendo como alvo uma garota, cuja aparência é considerada precocemente sensual no contexto da instituição pesquisada. Segundo os pesquisadores, ela é "sexualizada como parte do processo de dessexualização da escola". Alguns indvíduos, especialmente garotas, dizem eles, tornam-se "indivíduos míticos" e podem "carregar a sexualidade negada (ou mesmo reprimida) que está presente/'ausente' por toda parte na escola". Essa garota é, então, vista como um "caso triste" e, curiosamente, ao mesmo tempo em que a instituição a considera "uma vítima", a trata como "culpada". Ao ser estigmatizada, ela exerce sobre todos uma espécie de fascinação. "Constituindo-a como o "outro", eles [professores, professoras, direção] também a constroem como um objeto de desejo" (Epstein; Johnson, 1998, p. 120).

A evidência da sexualidade na mídia, nas roupas, nos shopping centers, nas músicas, nos programas de TV e em outras múltiplas situações experimentadas pelas crianças e adolescentes vem alimentando o que alguns chamam de "pânico moral". No centro das preocupações estão os pequenos. Paradoxalmente, as crianças são ameaçadas por tudo isso e, ao mesmo tempo, consideradas muito "sabidas" e, então, "perigosas", pois passam a conhecer e a fazer, muito cedo, coisas demais. Para muitos, elas não são, do ponto de vista sexual, "suficientemente infantis" (Epstein; Johnson, 1998, p. 120).

Redobra-se ou renova-se a vigilância sobre a sexualidade, mas essa vigilância não sufoca a curiosidade e o interesse, conseguindo, apenas, limitar sua manifestação desembaraçada e sua expressão franca. As perguntas, as fantasias, as dúvidas e a experimentação do prazer são remetidas ao segredo e ao privado. Através de múltiplas estratégias de disciplinamento, aprendemos a vergonha e a culpa; experimentamos a censura e o controle. Acreditando que as questões da sexualidade são assuntos privados, deixamos de perceber sua dimensão social e política.

As coisas se complicam ainda mais para aqueles e aquelas que se percebem com interesses ou desejos distintos da norma heterossexual. A esses restam poucas alternativas: o silêncio, a dissimulação ou a segregação. A produção da heterossexualidade é acompanhada pela rejeição da homossexualidade. Uma rejeição que se expressa, muitas vezes, por declarada homofobia.

Esse sentimento, experimentado por mulheres e homens, parece ser mais fortemente incutido na produção da identidade masculina. Em nossa cultura, a manifestação de afetividade entre meninos e homens é alvo de uma vigilância muito mais intensa do que entre as meninas e mulheres. De modo especial, as expressões físicas de amizade e de afeto entre homens são controladas, quase impedidas, em muitas situações sociais. Evidentemente elas são claramente codificadas e, como qualquer outra prática social, estão em contínua transformação.

Máirtín Mac an Ghaill (1994, p. 1) conta uma experiência que teve quando era professor de uma escola secundária inglesa. Um aluno, logo após saber que havia passado nos exames, entregou a Máirtín, no pátio da escola, um buquê de flores. Rapidamente o fato se espalhou, e professores e estudantes passaram a se referir à situação através de piadas heterossexistas. Em consequência, o estudante acabou se envolvendo numa briga para se "defender", e o diretor chamou o professor à sua sala. Ali, conta Máirtín,

> [...] ele me informou que eu tinha ido longe demais dessa vez. Quando comecei a me defender, dizendo que não poderia ser responsabilizado pela briga, o diretor me interrompeu, perguntando sobre o que eu estava falando. Imediatamente me dei conta da significação simbólica do que acontecera no pátio: a troca de flores entre dois homens era institucionalmente muito mais ameaçadora do que a violência física de uma luta masculina.

A homofobia funciona como mais um importante obstáculo à expressão de intimidade entre homens. É preciso ser cauteloso e manter a camaradagem dentro de seus limites, empregando apenas gestos e comportamentos autorizados para o "macho". No caso relatado por Máirtín Mac an Ghaill adicionava-se, ainda, uma dimensão racial ao episódio: nessa escola, onde os professores eram predominantemente brancos, os rapazes e homens muçulmanos eram percebidos como "intrinsecamente mais sexistas", e, assim, os professores ficaram "confusos", conforme diz o autor, quando viram um jovem muçulmano entregar flores ao seu professor.

Embora a homofobia seja muitas vezes evidente em nossa sociedade, isso não impede que, em inúmeras situações e em distintas idades, meninos e homens constituam grupos extremamente "fechados" e os vivam de forma muito intensa. Equipes de futebol; parcerias de acampamentos, caçadas e pescarias; rodas de chope ou de jogos de carta e bilhar se constituem, frequentemente, em redutos exclusivamente masculinos nos quais a presença de mulheres não é admitida. Nessas fraternidades são vividas, muitas vezes, situações em que os corpos podem ser comparados, admirados e tocados, de formas "justificadas" e "legítimas". Nos banheiros e vestiários escolares, os garotos aprendem, desde cedo, a conviver com a nudez coletiva. O mesmo não acontece com as garotas, em situações semelhantes. Mesmo que, atualmente, sejam notáveis as transformações no comportamento de meninas e jovens mulheres (e a nudez entre elas seja mais visível e comum), a arquitetura de escolas e clubes usualmente ainda prevê, nos setores femininos, cabines ou biombos para garantir a privacidade.

Meninos e meninas aprendem, também desde muito cedo, piadas e gozações, apelidos e gestos para dirigirem àqueles e àquelas que não se ajustam aos padrões de gênero e de sexualidade admitidos na cultura em que vivem.

Em seu livro *Praticamente normal. Uma discussão sobre o homossexualismo*, Andrew Sullivan (1996) fala da história de seu "segredo", das inúmeras situações que lhe ensinaram a necessidade de esconder, desde criança, seus desejos e interesses. Ele conta como aprendeu, também, a fazer piadas sobre homossexuais, "a mover as alavancas sociais da hostilidade contra o homossexualismo antes mesmo de ter a mais vaga noção quanto ao que elas se referiam" (p. 15).

Consentida e ensinada na escola, a homofobia expressa-se pelo desprezo, pelo afastamento, pela imposição do ridículo. Como se a homossexualidade fosse "contagiosa", cria-se uma grande resistência em demonstrar simpatia para com sujeitos homossexuais: a aproximação pode ser interpretada como uma adesão a tal prática ou identidade. O resultado é, muitas vezes, o que Peter McLaren (1995) chamou de um *apartheid sexual*, isto é, uma segregação que é promovida tanto por aqueles que querem se afastar dos/das homossexuais como pelos/as próprios/as.

A maior visibilidade de gays e lésbicas, bem como a expressão pública dos movimentos sexuais, coloca, hoje, essas questões em bases novas: por um lado, em determinados círculos, são abandonadas as formas de desprezo e de rejeição e incorporados alguns traços de comportamento, estilo de vida, moda, roupas ou adornos característicos dos grupos homossexuais; por outro lado, essa mesma visibilidade tem acirrado as manifestações antigays e antilésbicas, estimulado a organização de grupos hipermasculinos (geralmente violentos) e provocado um revigoramento de campanhas conservadoras de toda ordem.

De modo geral, salvo raras exceções, o/a homossexual admitido/a é aquele ou aquela que disfarça sua condição, "o/a enrustido/a". De acordo com a concepção liberal de que a sexualidade é uma questão absolutamente privada, alguns se permitem aceitar "outras" identidades ou práticas sexuais desde que permaneçam no segredo e sejam vividas apenas na intimidade. O que efetivamente incomoda é a manifestação aberta e pública de sujeitos e práticas não heterossexuais. Revistas, moda, bares, filmes, música, literatura, enfim todas as formas de expressão social que tornam visíveis as sexualidades não legitimadas são alvo de críticas, mais ou menos intensas, ou são motivo de escândalo.

Na política de identidade que atualmente vivemos serão, pois, precisamente essas formas e espaços de expressão que passarão a ser utilizados como sinalizadores evidentes e públicos dos grupos sexuais subordinados. Aí se trava uma luta para expressar uma estética, uma ética, um modo de vida que não se quer "alternativo" (no sentido de ser "o outro"), mas que pretende, simplesmente, existir pública e abertamente, como os demais.

Richard Johnson (1996, p. 176), seguindo Eve Sedgwick, fala do *closet* (essa forma escondida e "enrustida" de viver a sexualidade não hegemônica) entendendo-o como "uma epistemologia", ou seja, como um "modo de organizar o conhecimento/ignorância". Analisando como essa epistemologia tem marcado nossas concepções de sexualidade, ele se refere ao conjunto de oposições binárias com que operamos, especialmente nas escolas, e cita os seguintes pares: "homossexual/heterossexual; feminino/masculino; privado/público; segredo/revelação; ignorância/conhecimento; inocência/iniciação". Sua argumentação agrega mais uma dicotomia: *closeting*/educação (o que talvez pudesse ser traduzido por ocultamento ou segredo/educação), para discutir o quanto as escolas – que, supostamente, devem ser um local para o conhecimento – são, no tocante à sexualidade, um local de ocultamento. A escola é, sem dúvida, um dos espaços mais difíceis para que alguém "assuma" sua condição de homossexual, bissexual ou trans. Com a suposição de que só pode haver um tipo de desejo sexual e que esse tipo – inato a todos – deve ter como alvo um indivíduo do sexo oposto, a escola nega e ignora formas não heterossexuais de sexualidade (provavelmente nega porque ignora) e, dessa forma, oferece muito poucas oportunidades para que adolescentes ou adultos assumam, sem culpa ou vergonha, seus desejos. O lugar do conhecimento mantém-se, com relação à sexualidade, como o lugar do desconhecimento e da ignorância.

As memórias e as práticas atuais podem nos contar da produção dos corpos e da construção de uma linguagem da sexualidade; elas nos apontam as estratégias e as táticas constituidoras das identidades sexuais e de gênero. Na escola, pela afirmação ou pelo silenciamento, nos espaços reconhecidos e públicos ou nos cantos escondidos e privados, é exercida uma pedagogia da sexualidade, legitimando determinadas identidades e práticas sexuais, reprimindo e marginalizando outras. Muitas outras instâncias sociais, como a mídia, a igreja, a justiça, etc., também praticam tal pedagogia, seja coincidindo na legitimação e denegação de sujeitos, seja produzindo discursos dissonantes e contraditórios.

Gradativamente, vai se tornando visível e perceptível a afirmação das identidades historicamente subjugadas em nossa sociedade. Mas essa visibilidade não se exerce sem dificuldades. Para aqueles e aquelas que se reconhecem nesse lugar, "assumir" a condição de homossexual, bissexual, trans é um ato político e, nas atuais condições, um ato que ainda pode cobrar o alto preço da estigmatização.

Curiosamente, no entanto, as instituições e os indivíduos precisam desse "outro". Precisam da identidade "subjugada" para se afirmar e para se definir, pois sua afirmação se dá na medida em que a contrariam e a rejeitam. Assim, podemos compreender por que as identidades sexuais "alternativas", mesmo quando excluídas ou negadas, permanecem ativas (e necessárias): elas se constituem numa referência para a identidade heterossexual; diante delas e em contraposição a elas a identidade hegemônica se declara e se sustenta.

Por outro lado, na medida em que várias identidades – gays, lésbicas, queers, bissexuais, transexuais, travestis – emergem publicamente, elas também acabam por evidenciar, de forma muito concreta, a instabilidade e a fluidez das identidades sexuais. E isso é percebido como muito desestabilizador e "perigoso". A sexualidade "é tecida na rede de todos os pertencimentos sociais que abraçamos", como lembra Weeks (1995, p. 88), ela não pode ser compreendida de forma isolada. Nossas identidades de raça, gênero, classe, geração ou nacionalidade estão imbricadas com nossa identidade sexual, e esses vários marcadores sociais interferem na forma de viver a identidade sexual; eles são, portanto, perturbados ou atingidos, também, pelas transformações e subversões da sexualidade. Temos, pois, de concordar com a afirmação de Weeks de que a emergência dessas "identidades sexuais de oposição" (como ele as denomina), "coloca em questão a fixidez das identidades herdadas de todos os tipos, não apenas sexual". Para os grupos conservadores, tudo isso parece muito subversivo e ameaça atingir e perverter, também, conceitos, valores e "modos de vida" ligados às identidades nacionais, étnicas, religiosas, de classe. Para os grupos que estão comprometidos com a mudança sexual também são colocados desafios, como lembra Weeks, na medida em que essas identidades de oposição acenam para o movimento constante. Como articular, então, as lutas? Como "fixar" os pontos comuns? Os sujeitos deslizam e escapam das classificações em que ansiamos por localizá-los. Multiplicam-se categorias sexuais, borram-se fronteiras e, para aqueles que operam com dicotomias e demarcações bem definidas, essa pluralização e essa ambiguidade abrem um leque demasiadamente amplo de arranjos sociais.

Os discursos sobre a sexualidade evidentemente continuam se modificando e se multiplicando. Outras respostas e resistências, novos tipos de intervenção social e política são inventados. Atualmente, renovam-se os apelos conservadores, buscando formas novas, sedutoras e eficientes de interpelar os sujeitos (especialmente a juventude) e engajá-los ativamente na recuperação de valores e de práticas tradicionais. Esses discursos não são, obviamente, absolutos nem únicos; muito pelo contrário, agora, mais do que antes, outros discursos emergem e buscam se impor; estabelecem-se controvérsias e contestações, afirmam-se, política e publicamente, identidades silenciadas e sexualmente marginalizadas. Aprendemos, todos, em meio a (e com) essas disputas.

Questionado sobre sua *História da sexualidade*, Foucault respondeu, certa vez, que não pretendia escrever uma arqueologia das fantasias sexuais, mas sim uma arqueologia do discurso sobre a sexualidade e que esse discurso era "uma relação entre o que fazemos, o que estamos obrigados a fazer, o que nos está permitido fazer, o que nos está proibido fazer no campo da sexualidade; e o que está proibido, permitido, ou é obrigatório dizer sobre nosso comportamento sexual" (Foucault, 1996, p. 91). Acho que foi disso que procurei tratar aqui: das formas e das instâncias em que aprendemos esse discurso, de nossa apropriação e nosso uso de uma linguagem da sexualidade que nos diz, aqui, agora, sobre o que falar e sobre o que silenciar, o que mostrar e o que esconder, quem pode falar e quem deve ser silenciado. Procurei mostrar, também, que podemos (e devemos) duvidar dessas verdades e certezas sobre os corpos e a sexualidade, que vale a pena pôr em questão as formas como eles costumam ser pensados e as formas como identidades e práticas têm sido consagradas ou marginalizadas. Ao fazer a história ou as histórias dessa pedagogia talvez nos tornemos mais capazes de desarranjá-la, reinventá-la e torná-la plural.

Referências

BRUMBERG, Joan J. *The body project. An intimate history of American girls.* Nova York: Vintage Books, 1998.

CORRIGAN, Philip. "Making the boy: meditations on what grammar school did with, to and for my body". In Henri Giroux (org.), *Postmodernism, feminism and cultural politics.* Nova York: State University of New York Press, 1991. p.196-216.

EPSTEIN, Debbie e JOHNSON, Richard. *Schooling sexualities.* Buckingham: Open University Press, 1998.

FOUCAULT, Michel. *História da sexualidade. v. 1: A vontade de saber.* 11ª ed. Rio de Janeiro: Graal, 1988.

FOUCAULT, Michel. *Microfísica do poder.* 11ª ed. Rio de Janeiro: Graal, 1993.

FOUCAULT, Michel. Diálogo com Stephen Riggins. In: Gregorio Kaminski (Org.). *El yo minimalista.* Conversaciones com Michel Foucault. Buenos Aires: La marca, 1996.

HALL, *Stuart. Identidades culturais na pós-modernidade.* Rio de Janeiro: DP&A, 1997.

HARAWAY, Donna. *Simians, ciborgs and women.* Londres: Routledge, 1991.

JOHNSON, Richard. "Sexual dissonances: or the 'impossibility' of sexuality education". *Curriculum studies.* v. 4 (2), 1996. p. 163-189.

KENWAY, Jane. "Educando cybercidadãos que sejam 'ligados' e críticos". In Luiz Heron Silva (org.), *A escola cidadã no contexto da globalização.* Petrópolis: Vozes, 1998. p. 99-120.

KIMMEL, Michael e MESSNER, Michael. *Men's lives.* 2ª ed. Nova York: Macmillan Publishing Co., 1992.

LOURO, Guacira. "Produzindo sujeitos masculinos e cristãos". In Alfredo Veiga-Neto (org.), *Crítica pós-estruturalista e educação*. Porto Alegre: Sulina, 1995. p. 83-107.

LOURO, Guacira. *Gênero, sexualidade e educação. Uma perspectiva pós-estruturalista*. Petrópolis: Vozes, 1997.

LOURO, Guacira. "Segredos e mentiras do currículo. Sexualidade e gênero nas práticas escolares". In Luiz Heron Silva (org.), *A escola cidadã no contexto da globalização*. Petrópolis: Vozes, 1998. p. 33-47.

Mac An GHAILL, Máirtín. *The making of men. Masculinities, sexualities and schooling*. Buckingham: Open University Press, 1994.

McLAREN, Peter. "Moral panic, schooling, and gay identity. Critical Pedagogy and the politics of resistance". In Gerald Unks (ed.), *The gay teen. Educational practice and theory for lesbian, gay and bisexual adolescents*. Nova York e Londres: Routledge, 1995. p. 105-123.

MORREL, Robert. "Boys, gangs and the making of masculinity in the white secondary schools of Natal (1880-1930)". *Masculinities*. v.2 (2), verão de 1994. p. 56-82.

SILVA, Tomaz Tadeu. *O currículo como fetiche. A poética e a política do texto curricular*. Belo Horizonte: Autêntica, 1999.

SULLIVAN, Andrew. *Praticamente normal. Uma discussão sobre o homossexualismo*. Trad. Isa Lando. São Paulo: Companhia das Letras, 1996.

WEEKS, Jeffrey. *Invented moralities: sexual values in an age of uncertainty*. Nova York: Columbia University Press, 1995.

O corpo e a sexualidade

Jeffrey Weeks

Comecemos com uma imagem que tem assombrado nossa imaginação na última década: os olhos afundados, os corpos macilentos, a coragem aparentemente arruinada das pessoas com AIDS.

Numa época na qual assistimos, como nunca antes, a celebração de corpos saudáveis perfeitamente harmoniosos, uma nova síndrome emergiu e devastou o corpo. Estava estreitamente conectada com o sexo – com atos através dos quais o vírus HIV poderia ser transmitido. Muitas pessoas, e não apenas na imprensa sensacionalista, apresentavam a AIDS como um efeito necessário do excesso sexual, como se os limites do corpo tivessem sido testados e não tivessem passado no teste da "perversidade sexual". De acordo com os mais óbvios comentaristas, era a vingança da natureza contra aqueles que transgrediam seus limites.

A suposição parecia ser que o corpo expressa uma verdade fundamental sobre a sexualidade. Mas que verdade poderia ser essa? Sabemos agora que o vírus HIV, responsável pelo colapso das imunidades do corpo, causando a AIDS, não é seletivo no seu efeito. Ele afeta heterossexuais e homossexuais, mulheres e homens, jovens e velhos. Além disso, ao mesmo tempo, ele não afeta todas as pessoas nessas categorias, nem mesmo necessariamente os/as parceiros/

as das pessoas infectadas com HIV. Contrair o HIV é, em parte, uma questão de acaso, mesmo para aquelas pessoas que estão envolvidas no que agora chamamos de "atividades de alto risco".

Naturalmente, qualquer doença que ameace a vida deveria gerar ansiedade, e eu não estou buscando, de modo algum, minimizar os terríveis efeitos da síndrome. Mas a AIDS tornou-se mais do que um conjunto de doenças: ela se tornou uma poderosa metáfora para nossa cultura sexual. A resposta à AIDS tem sido vista como um sinal de nossa confusão e ansiedade crescentes sobre nossos corpos e suas atividades sexuais (Sontag, 1989). Ela tem sido apresentada como uma terrível advertência sobre os efeitos da revolução sexual. Quando se consideram as experiências de pessoas vivendo com HIV e AIDS, histórias de coragem e resistência diante da doença têm sido frequentemente ignoradas.

Qual é a relação entre, de um lado, o corpo, como uma coleção de órgãos, sentimentos, necessidades, impulsos, possibilidades biológicas e, de outro, os nossos desejos, comportamentos e identidades sexuais? O que é que faz com que esses tópicos sejam tão culturalmente significativos e tão moral e politicamente carregados? Essas e outras questões têm se tornado cruciais nos recentes debates sociológicos e históricos. Tentando respondê-las, argumentarei que, embora o corpo biológico seja o local da sexualidade, estabelecendo os limites daquilo que é sexualmente possível, a sexualidade é mais do que simplesmente o corpo. De fato, juntamente com Carole Vance (1984), estou sugerindo que o órgão mais importante nos humanos é aquele que está entre as orelhas. A sexualidade tem tanto a ver com nossas crenças, ideologias e imaginações quanto com nosso corpo físico.

Este ensaio está interessado, pois, nos modos pelos quais têm-se atribuído, nas sociedades modernas, extrema importância e denso significado ao corpo e à sexualidade. O restante dessa seção, começando com um olhar mais atento à literatura sobre sexualidade, vai explorar a importância de se ver a sexualidade como um fenômeno social e histórico. Argumentarei que os corpos não têm nenhum sentido intrínseco e que a melhor maneira de compreender a sexualidade é como um "construto histórico".

Em seguida, a seção 2 discutirá os modos como as definições dominantes de sexualidade emergiram na modernidade. A seção 3 examinará como as relações de poder, particularmente em suas conexões com gênero, classe e raça (isto é, corpos socialmente diferenciados), tornam-se significativas para a definição do comportamento sexual. Em um esforço para compreender as forças que atuam para modelar a sexualidade, a seção 4 estará preocupada, sobretudo, com o problema da definição de identidades sexualizadas, concentrando-se no processo pelo qual elas têm sido definidas e redefinidas nos últimos cem anos. Explorarei, nessa seção, a institucionalização da heterossexualidade e a "invenção" da homossexualidade, examinando, também, os modos pelos quais se pode repensar a identidade sexual.

Finalmente, a seção 5 examinará com mais detalhes a regulação social dos corpos e da sexualidade, concentrando-se nas implicações da divisão "público/privado" – uma divisão que tomamos como dada, como natural, mas que também tem uma história; na verdade, muitas histórias. O ensaio concluirá com a questão: qual é o futuro da sexualidade e do corpo? Na esteira da crise gerada pelo HIV e pela AIDS, trata-se de uma questão vital.

O sujeito do sexo

Embora se possa argumentar que as questões relativas aos corpos e ao comportamento sexual têm estado, por muito tempo, no centro das preocupações ocidentais, elas eram, em geral, até o século XIX, preocupações da religião e da filosofia moral. Desde então, elas têm se tornado a preocupação generalizada de especialistas, da medicina e de profissionais e reformadores morais. O tema ganhou, no final do século XIX, sua própria disciplina, a sexologia, tendo como base a psicologia, a biologia e a antropologia, bem como a história e a sociologia. Isso teve enorme influência no estabelecimento dos termos do debate sobre o comportamento sexual. A sexualidade é, entretanto, além de uma preocupação individual, uma questão claramente crítica e política, merecendo, portanto, uma investigação e uma análise histórica e sociológica cuidadosas.

A sexologia tem sido um elemento importante na codificação do modo como pensamos o corpo e a sexualidade. No seu famoso estudo *Psychopathia sexualis*, Richard von Krafft-Ebing, o sexólogo pioneiro do final do século XIX, descreveu o sexo como um "instinto natural", o qual, "com uma força e energia absolutamente avassaladoras, exige satisfação" (1931, p. 1). Que podemos deduzir disso? Em primeiro lugar, há uma ênfase no sexo como um "instinto", expressando as necessidades fundamentais do corpo. Isso reflete uma preocupação pós-darwiniana do final do século XIX em explicar todos os fenômenos humanos em termos de forças identificáveis, internas, biológicas. Hoje estamos mais inclinados a falar sobre a importância dos hormônios e genes na moldagem de nosso comportamento, mas a suposição de que a biologia está na raiz de todas as coisas persiste, uma suposição que é ainda mais forte quando se fala de sexualidade. Falamos todo o tempo sobre o "instinto ou impulso do sexo", vendo-o como a coisa mais natural. Mas é isso mesmo? Há agora uma vasta literatura sugerindo, ao contrário, que a sexualidade é, na verdade, "uma construção social", uma invenção histórica, a qual, naturalmente, tem base nas possibilidades do corpo: o sentido e o peso que lhe atribuímos são, entretanto, modelados em situações sociais concretas. Isso tem profundas implicações para nossa compreensão do corpo, do sexo e da sexualidade, implicações que precisaremos explorar.

Tomemos a segunda parte da citação de Krafft-Ebing: o sexo é uma "força absolutamente avassaladora", exigindo satisfação. Podemos ver em ação, aqui, a metáfora central que orienta nosso pensamento sobre a sexualidade. O sexo é visto como uma energia vulcânica, engolfando o corpo, pressionando de forma urgente e incessante nossos eus conscientes. Poucas pessoas, escreveu Krafft-Ebing, "estão conscientes da profunda influência exercida pela vida sexual sobre o sentimento, o pensamento e a ação do homem nas suas relações sociais com os outros". Não creio que pudéssemos fazer, hoje, com tanta certeza, uma afirmação de ignorância como essa. Agora consideramos como dado, em parte devido aos sexólogos, que a sexualidade encontra-se, de fato, no centro de nossa existência.

A seguinte citação, do sexólogo inglês Havelock Ellis, que foi muito influente na primeira terça parte deste século, ilustra as formas pelas quais a sexualidade tem sido vista como algo que nos proporciona uma compreensão especial sobre a natureza do eu: "O sexo penetra a pessoa inteira; a constituição sexual de um homem é parte de sua constituição geral. Há uma considerável verdade na expressão: 'um homem é aquilo que o seu sexo é'" (Ellis, 1946, p. 3).

O sexo é visto, aqui, não apenas como uma força absolutamente avassaladora: ele também é, aparentemente, um elemento essencial na feitura corporal de uma pessoa ("constituição"), é o determinante de nossas personalidades e identidades. Isso coloca a questão: por que vemos a sexualidade dessa forma? O que há a respeito da sexualidade que nos torna tão convencidos de que ela está no centro de nosso ser? Isso é igualmente verdadeiro para homens e mulheres?

Isso nos conduz, tendo como base a citação original de Krafft-Ebing, ao terceiro ponto da discussão. A linguagem da sexualidade parece ser avassaladoramente masculina. A metáfora usada para descrever a sexualidade como uma força incansável parece ser derivada de suposições sobre a experiência sexual masculina. Havelock Ellis não parece estar, aqui, utilizando o pronome masculino como comumente se faz, para simplesmente descrever uma experiência supostamente universal. Mesmo seu uso da metáfora ("penetra") sugere uma devoção incrivelmente inconsciente aos modelos masculinos de sexualidade. Em certo nível, isso pode parecer uma crítica injusta, dado que os sexólogos tentaram, de fato, reconhecer a legitimidade da experiência sexual feminina. De fato, os sexólogos frequentemente perpetuaram uma tradição antiga, que via as mulheres como "o sexo", como se seus corpos estivessem tão saturados de sexualidade que nem havia necessidade de conceptualizá-la. Mas é difícil evitar a sensação de que, em seus escritos e talvez também em nossa consciência social, o modelo dominante de sexualidade é o masculino. Os homens são os agentes sexuais ativos; as mulheres, por causa de seus corpos altamente sexualizados, ou apesar disso, eram vistas como meramente reativas, "despertadas para a vida" pelos homens, na significativa frase de Havelock Ellis.

Não estou tentando sugerir que definições tais como a de Krafft-Ebing são as únicas, ou mesmo as dominantes, atualmente. Escolhi esse ponto de partida para ilustrar o tema principal deste ensaio – que nosso conceito de sexualidade tem uma história. O desenvolvimento da linguagem que usamos é um indicador valioso disso: está em constante evolução. O termo "sexo", por exemplo, significava, originalmente, simplesmente, "o resultado da divisão da humanidade no *segmento* feminino e no *segmento* masculino". Referia-se, naturalmente, às diferenças entre homens e mulheres, mas também à forma como homens e mulheres se relacionavam. Como veremos adiante, esse relacionamento era significativamente diferente daquele que nossa cultura compreende, atualmente, como dado – que homens e mulheres são fundamentalmente diferentes. No período que compreende, aproximadamente, os últimos dois séculos, "sexo" adquiriu um sentido mais preciso: ele se refere às diferenças anatômicas entre homens e mulheres, a corpos marcadamente diferenciados e ao que nos divide, e não ao que nos une.

Tais mudanças não são acidentais. Elas indicam uma complexa história, na qual a diferença sexual (sejamos homem ou mulher, heterossexual ou homossexual) e a atividade sexual acabaram por ser vistas como de importância social única. Podemos, então, com justiça, descrever, sem nenhum problema, o comportamento sexual como "natural" ou "não natural"? Acredito que não.

O segundo tema importante deste ensaio está estreitamente relacionado com isso. Nossas definições, convenções, crenças, identidades e comportamentos sexuais não são o resultado de uma simples evolução, como se tivessem sido causados por algum fenômeno natural: eles têm sido modelados no interior de relações definidas de poder. A mais óbvia dessas relações já foi assinalada na citação de Krafft-Ebing: as relações entre homens e mulheres, nas quais a sexualidade feminina tem sido historicamente definida em relação à masculina. Mas a sexualidade tem sido um marcador particularmente sensível de outras relações de poder. A Igreja e o Estado têm mostrado um contínuo interesse no modo como nos comportamos ou como pensamos. Podemos observar, nos últimos dois séculos, a intervenção da medicina, da psicologia, do trabalho social, das escolas e outras instâncias, todas procurando nos dizer quais as formas apropriadas para regular nossas atividades corporais. As diferenças de classe e de raça complicam, ainda mais, o quadro. Mas, juntamente com isso, apareceram outras forças, acima de tudo o feminismo e os movimentos de reforma sexual de vários tipos, os quais têm resistido às diversas prescrições e definições. Os códigos e identidades sexuais que tomamos como dados, inevitáveis e "naturais", têm sido frequentemente forjados nesse complexo processo de definição e autodefinição, tornando a moderna sexualidade central para o modo como o poder atua na sociedade moderna.

Na discussão que se segue estaremos muito preocupados com o uso e o sentido dos termos. Assim, para concluir essa parte da argumentação, quero esclarecer os termos básicos que vamos usar. "Sexo" será usado no sentido mencionado antes: como um termo descritivo para as diferenças anatômicas básicas, internas e externas ao corpo, que vemos como diferenciando homens e mulheres. Embora essas distinções anatômicas sejam geralmente dadas no nascimento, os significados a elas associados são altamente históricos e sociais. Para descrever a diferenciação *social* entre homens e mulheres, usarei o termo "gênero". Usarei o termo "sexualidade" como uma descrição geral para a série de crenças, comportamentos, relações e identidades socialmente construídas e historicamente modeladas que se relacionam com o que Michel Foucault denominou "o corpo e seus prazeres" (Foucault, 1993).

A expressão "construcionismo social" será usada como um termo abreviado para descrever a abordagem, historicamente orientada, que estaremos adotando, relativamente aos corpos e à sexualidade. A expressão talvez tenha um tom áspero e mecânico, mas tudo o que ela basicamente pretende fazer é argumentar que só podemos compreender as atitudes em relação ao corpo e à sexualidade em seu contexto histórico específico, explorando as condições historicamente variáveis que dão origem à importância atribuída à sexualidade num momento particular e apreendendo as várias relações de poder que modelam o que vem a ser visto como comportamento normal ou anormal, aceitável ou inaceitável. O construcionismo social contrapõe-se ao "essencialismo" sexual, exemplificado na posição expressa na definição de Krafft-Ebing e dominante na maioria das discussões sobre sexualidade até recentemente. O "essencialismo" é o ponto de vista que tenta explicar as propriedades de um todo complexo por referência a uma suposta verdade ou essência interior. Essa abordagem reduz a complexidade do mundo à suposta simplicidade imaginada de suas partes constituintes e procura explicar os indivíduos como produtos automáticos de impulsos internos.

Contra tais pressupostos, argumentarei que os significados que damos à sexualidade e ao corpo são socialmente organizados, sendo sustentados por uma variedade de linguagens que buscam nos dizer o que o sexo é, o que ele deve ser e o que ele pode ser.

Historicizando o corpo

O estudo sobre a "história da sexualidade", feito por Michel Foucault (1926-1984), tem sido central para as recentes discussões sobre o corpo e a sexualidade entre historiadores e cientistas sociais. Considere esta citação:

> Não se deve concebê-la como uma espécie de dado da natureza que o poder tenta pôr em xeque, ou como um domínio obscuro que o saber tentaria, pouco a pouco, desvelar. A sexualidade é o nome que se pode dar a um dispositivo histórico. (Foucault, 1993, p. 100)

A quem e o que ele está questionando aqui? Mais claramente, trata-se de um questionamento à visão essencialista que já revisamos. Ele está afirmando, de forma bastante decisiva, que a sexualidade não é o "continente negro" (na famosa frase de Freud, referindo-se à sexualidade feminina) que precisa de exploradores especializados. Os alvos da crítica de Foucault são os sexólogos, os futuros cientistas do sexo e do corpo, com uma forte insinuação de que eles ajudaram, em parte, a "construir" a sexualidade como um domínio privilegiado do conhecimento. Ao estabelecer uma esfera especializada de conhecimento, ao buscar descobrir as "leis da natureza" que supostamente governam o mundo sexual, ao argumentar que a sexualidade tem uma influência particular em todos os aspectos da vida e que o corpo fala uma verdade final, os sexólogos ajudaram, num certo sentido, a "inventar" a importância que nós atribuímos ao comportamento sexual.

Há, entretanto, um outro alvo: trata-se daquela tradição particular da teorização sexual que tem visto a própria sexualidade como uma força que constitui uma forma de resistência ao poder. Alguns autores, como Wilhelm Reich nos anos 1930 e 1940, argumentaram que a sociedade capitalista sobreviveu e se reproduziu através da repressão de nossa sexualidade, vista por eles como natural e saudável (Weeks, 1985). Se o corpo pudesse ser liberado dos constrangimentos do trabalho forçado, se seus instintos basicamente saudáveis pudessem se expressar livremente, então as doenças da sociedade iriam desaparecer. A "liberação sexual" oferecia, portanto, a possibilidade de desafiar uma ordem social opressiva e foi um elemento crucial para a luta pela mudança social.

Foucault, por outro lado, rejeita o que ele chama de "hipótese repressiva": a crença de que a sociedade está todo o tempo tentando controlar uma energia natural incontrolável, uma energia que emana do corpo. Não porque ele não quisesse uma ordem sexual mais liberal. Mas ele acreditava que os argumentos essencialistas ignoravam o fato central sobre a sociedade moderna: de que a sexualidade era um "aparato histórico" que tinha se desenvolvido como parte de uma rede complexa de regulação social que organizava e modelava ("policiava") os corpos e os comportamentos individuais. A sexualidade não pode agir como uma resistência ao poder porque está demasiadamente envolvida nos modos pelos quais o poder atua na sociedade moderna.

No contexto da história e da sociologia da sexualidade, Foucault pode ser considerado um dos mais influentes teóricos da abordagem do "construcionismo social". O próprio trabalho de Foucault pode ser mais bem compreendido, entretanto, se observamos que ele dava continuidade a uma tradição de crítica ao essencialismo sexual que tinha uma série de diferentes fontes. Eu gostaria de examinar brevemente algumas das correntes que têm alimentado essa abordagem histórica. (Para uma discussão mais completa veja WEEKS, 1985.)

a) Na antropologia social, na sociologia e no trabalho dos pesquisadores e pesquisadoras sexuais emergia uma crescente consciência do largo espectro de padrões sexuais existente tanto nas outras culturas *quanto* no interior de nossa própria cultura. A consciência de que a forma como nós fazemos as coisas não é a única forma de fazê-las pode causar um salutar abalo em nosso etnocentrismo, forçando-nos a perguntar por que as coisas são como são hoje em dia.

As outras culturas e subculturas constituem um espelho de nossa própria transitoriedade. Quais as implicações disso para nosso pensamento sobre a moderna sexualidade? Os sociólogos americanos John Gagnon e William Simon, no livro *Sexual conduct* (1973), argumentam que a sexualidade está sujeita à modelagem sociocultural em um nível que é superado por poucas outras formas de comportamento humano. Isso contraria bastante a nossa crença normal de que a sexualidade nos diz a verdade definitiva sobre nós mesmos e sobre nossos corpos: em vez disso, ela nos diz algo mais sobre a verdade de nossa cultura.

b) O legado de Sigmund Freud, com sua teoria do inconsciente dinâmico, fornece outra fonte para uma nova abordagem da sexualidade. O que a psicanálise, pelo menos em sua forma original, procurou estabelecer foi que o que se passa no inconsciente da mente frequentemente contradiz as aparentes certezas da vida consciente. Ela afirma que podíamos detectar, nos sintomas neuróticos, ou através da análise dos sonhos e de acidentes da vida cotidiana, traços de desejos reprimidos – reprimidos porque os desejos são de um tipo "perverso". Tais argumentos desestabilizam a natureza aparentemente sólida do gênero, da necessidade sexual e da identidade, porque sugerem que eles constituem realizações precárias, modeladas no processo de aquisição, pelo "animal humano", das regras da cultura, através de um complexo desenvolvimento psicossocial.

c) Paralelamente a esses desenvolvimentos teóricos, a "nova história social" das últimas duas décadas explorou áreas até então ignoradas pelos historiadores e historiadoras, das quais a história do gênero e do corpo (por exemplo, Turner, 1984; Laqueur, 1990), bem como a da sexualidade, são de interesse central para nossa preocupação. Vários estudos têm questionado a fixidez das ideias predominantes sobre o que constitui masculinidade e feminilidade, explorado a natureza cambiante da vida doméstica e do trabalho e lançado uma nova luz sobre o desenvolvimento de certas categorias sociais (por exemplo, as de infância, de prostituição e homossexualidade) e identidades sexuais individuais (Weeks, 1989).

d) Finalmente, a emergência de uma nova política acerca da sexualidade – exemplificada pelo feminismo, pelas políticas gay e lésbica e por outros movimentos sexuais radicais – tem questionado muitas das certezas de nossas tradições sexuais, oferecendo novas compreensões sobre as intrincadas formas de poder e dominação que modelam nossas vidas sexuais. Por que a dominação masculina é tão endêmica na cultura? Por que a sexualidade feminina é vista tão frequentemente como subsidiária da sexualidade do homem? Por que nossa cultura celebra a heterossexualidade e discrimina a homossexualidade?

Todas essas vertentes obrigam-nos a enfrentar questões que são fundamentalmente sociais e históricas, obrigam-nos a perguntar: quais são as forças culturais que modelam nossos significados sexuais? Como argumentou Carole Vance:

> O uso generalizado da expressão "construção social", como termo e como paradigma, obscurece o fato de que os autores e as autoras construcionistas têm usado este termo com diferentes sentidos. É verdade que todos rejeitam definições trans-históricas e transculturais da sexualidade e sugerem, em vez disso, que a sexualidade é mediada por fatores históricos e culturais. Mas uma leitura mais cuidadosa dos textos construcionistas mostra que a construção social abrange um campo teórico bastante diversificado das coisas que podem ser construídas, indo desde os atos sexuais, as identidades sexuais, as comunidades sexuais e a direção do desejo sexual (a escolha do objeto) até ao impulso sexual ou à própria sexualidade.
> No mínimo, todas as abordagens de construção social adotam a visão de que atos sexuais fisicamente idênticos podem ter variada significação social e variado sentido subjetivo, dependendo de como eles são definidos e compreendidos em diferentes culturas e períodos históricos. Dado o fato de que um ato sexual não carrega consigo um sentido social universal, segue-se que a relação entre atos sexuais e identidades sexuais não é uma relação fixa e que ela

é projetada, a um grande custo, a partir do local e da época do observador para outros locais e épocas. As culturas fornecem categorias, esquemas e rótulos muito diferentes para enquadrar experiências sexuais e afetivas. A relação entre o ato e a identidade sexual, de um lado, e a comunidade sexual, de outro, é igualmente variável e complexa. Essas distinções entre atos, identidades e comunidades sexuais são, então, amplamente empregadas pelos autores e autoras construcionistas.

Um passo adicional na teoria da construção social afirma que mesmo a direção do desejo sexual em si (por exemplo, a escolha do objeto ou a hetero/homossexualidade) não é intrínseca ou inerente ao indivíduo, mas que é construída. Nem todos os construcionistas dão este passo: para alguns, a direção do desejo e do interesse erótico é fixa, embora a *forma* comportamental que esse interesse assume seja construída por quadros culturais prevalecentes, assim como a experiência subjetiva do indivíduo e o significado social atribuído a isso pelos outros.

A forma mais radical da teoria construcionista está disposta a considerar a ideia de que não há nenhum impulso sexual, "energia sexual" ou "desejo" essencial – indiferenciados – que residam no corpo e que possam ser simplesmente atribuídos ao funcionamento e à sensação fisiológica. O próprio impulso sexual é construído pela cultura e pela história. Nesse caso, uma importante questão construcionista refere-se às origens desses impulsos, uma vez que não mais se supõe que eles sejam intrínsecos ou, talvez, até mesmo necessários. Essa posição, obviamente, contrasta agudamente com a teoria mais moderadamente construcionista, que implicitamente aceita um impulso sexual inerente, o qual é, então, construído em termos de atos, identidade, comunidade e escolha do objeto. O

> contraste entre as posições moderada e radical torna evidente que os/as construcionistas podem muito bem ter discussões uns com os outros, bem como com os/as essencialistas. Cada nível de construção social aponta para questões e suposições diferentes, possivelmente para métodos diferentes e talvez para respostas diferentes (Vance, 1989, p. 18-19).

Carole Vance pede-nos, muito justamente, que reconheçamos que não podemos esquecer o corpo. É através do corpo que experimentamos tanto o prazer quanto a dor. Além disso, há corpos masculinos e corpos femininos, e isso dá lugar a experiências bastante diferentes, como, por exemplo, o parto. Outro fator crucial é que nós não experimentamos nossas necessidades e desejos sexuais como acidentais ou como produtos da sociedade. Eles estão profundamente entranhados em nós como indivíduos.

Isso não significa que eles não possam ser explicados socialmente: um dos atrativos da psicanálise, por exemplo, é que ela nos desafia a perguntar sobre a relação entre processos psíquicos, dinâmica social e mudança histórica. Os sentidos que damos a nossos corpos e suas possibilidades sexuais tornam-se, de fato, uma parte vital de nossa formação individual, sejam quais forem as explicações sociais.

Isso não invalida, contudo, a principal lição dos argumentos construcionistas sociais, cujo principal propósito não é oferecer explicações dogmáticas sobre como os sentidos sexuais *individuais* são adquiridos. O construcionismo é, num certo sentido, agnóstico relativamente a essa questão. Não estamos preocupados com a questão do que causa a heterossexualidade ou a homossexualidade nos indivíduos, mas, em vez disso, com o problema de por que e como nossa cultura privilegia uma e marginaliza – quando não discrimina – a outra. O construcionismo social também coloca outra questão central: por que nossa cultura atribui tanta importância à sexualidade e como isso veio a acontecer?

Todas essas são, legitimamente, questões para a investigação social, e na próxima seção iremos começar a examiná-las com mais detalhes.

Sexualidade e normas sexuais

Estabelecendo "o normal" e "o anormal"

Um dos mais intrigantes trabalhos de Michel Foucault é seu dossiê sobre as memórias de um hermafrodita francês do século XIX, Herculine Barbin. Ele resume a trágica história nos seguintes termos:

> Criada como uma moça pobre e digna de mérito num meio quase que exclusivamente feminino e profundamente religioso, Herculine Barbin, cognominada Alexina pelos que lhe eram próximos, foi finalmente reconhecida como sendo um "verdadeiro" rapaz; obrigado a trocar legalmente de sexo após um processo judiciário e uma modificação de seu estado civil, foi incapaz de adaptar-se a uma nova identidade e terminou por se suicidar. Sou inclinado a dizer que a história seria banal, se não fossem duas ou três coisas que lhe dão particular intensidade. (Foucault, 1982, p. 5)

Alexina/Herculine nasceu de sexo indeterminado – isto é, com características corporais que tornavam difícil determinar claramente se a criança era menino ou menina. Isso era uma anomalia não muito comum naquela época (ou mesmo agora), mas certamente não era desconhecida.

Nesse caso, o corpo era ambíguo; ele não revelava uma verdade cristalina. O argumento de Foucault é que, embora fosse desajeitada e desgraciosa para uma moça "normal", ela era capaz, durante os primeiros tempos de sua vida, de ser aceita no interior de um meio particular, sem uma marcada estigmatização. Ela vivia o "limbo feliz de uma não identidade" (Foucault, 1982, p. 6).

No fim, porém, aquelas "duas ou três coisas" mencionadas por Foucault forçaram a escolha sobre a identidade. Tornou-se necessário insistir num "sexo verdadeiro", quaisquer que fossem as consequências. O principal desses fatores, sugere Foucault, durante os anos 1860, quando a tragédia ocorreu, era a nova preocupação entre doutores, advogados e outros especialistas com a classificação e a fixação de diferentes características e tipos sexuais. Dado o fato de que Alexina tinha certas evidências de um corpo masculino, isto é, um pequeno pênis, "ela" tinha de se tornar "ele".

Podemos deixar de lado, para os atuais propósitos, a questão de saber se o dossiê dá um quadro completo do processo em ação ou o quanto a experiência de Herculine Barbin era representativa de um novo zelo classificador. Em vez disso, esse caso deveria ser visto como símbolo de um processo mais amplo: um processo complexamente interconectado, pelo qual a definição precisa das "verdadeiras" características femininas e masculinas está aliada a um novo zelo em definir, nos discursos judiciário, médico e político, o que é "normal" ou "anormal". De fato, ao definir o que é anormal (uma moça com evidências corporais de masculinidade, neste caso), tornou-se plenamente possível tentar definir o que é verdadeiramente normal (uma plena correspondência entre o corpo e a identidade de gênero socialmente aceitável).

Como já vimos antes, um modo característico de analisar isso é como processo de descoberta dos fatos "verdadeiros" sobre a sexualidade humana por uma nova ciência objetiva. Foucault, como outros que têm explorado a sexualidade da modernidade, está dizendo muito mais do que isso: que esse processo é o resultado de uma nova configuração de poder que nos exige classificar uma pessoa pela definição de sua verdadeira identidade, uma identidade que expressa plenamente a real verdade do corpo.

A história da sexualidade é, para Foucault, uma história de nossos discursos sobre a sexualidade, discursos através dos quais a sexualidade é construída como um corpo de conhecimento que modela as formas como pensamos e conhecemos o corpo. A experiência ocidental da sexualidade, ele sugere, não é a da repressão do discurso. Ela não pode ser caracterizada como um "regime de silêncio", mas, ao contrário, como um constante e historicamente cambiante incitamento ao discurso sobre o sexo. Essa explosão discursiva sempre em expansão é parte de um complexo aumento do controle sobre os indivíduos; controle não através da negação ou da proibição, mas através da produção; pela imposição de uma grade de definição sobre as possibilidades do corpo, através do aparato da sexualidade:

> O dispositivo da sexualidade tem, como razão de ser, não o reproduzir, mas o proliferar, inovar, anexar, inventar, penetrar nos corpos de maneira cada vez mais detalhada e controlar as populações de modo cada vez mais global (Foucault, 1993, p. 101).

O estudo de Foucault sobre o dispositivo sexual está intimamente relacionado com a análise que ele faz do desenvolvimento daquilo que ele vê como a "sociedade disciplinar", que é característica das formas modernas de regulação social – uma sociedade de vigilância e controle que ele descreve no seu livro *Vigiar e punir* (1977). Ele argumenta aqui que, no período moderno, deveríamos ver o poder não como uma força negativa que atua com base na proibição ("não deverás"), mas como uma força positiva preocupada com a administração e o cultivo da vida ("você deve fazer isto ou aquilo"). Trata-se do que ele denomina "biopoder"; e a sexualidade tem aqui um papel crucial. Pois o sexo é o pivô ao redor do qual toda a tecnologia da vida se desenvolve: o sexo é um meio de acesso tanto à vida do corpo quanto à vida da espécie; isto é, ele oferece um meio de regulação tanto dos corpos individuais quanto do comportamento da população (o "corpo político") como um todo (Foucault, 1993).

Foucault aponta quatro unidades estratégicas que ligam, desde o século XVIII, uma variedade de práticas sociais e técnicas de poder. Juntas, elas formam mecanismos específicos de conhecimento e poder centrados no sexo. Elas têm a ver com a sexualidade das mulheres; a sexualidade das crianças; o controle do comportamento procriativo e a demarcação de perversões sexuais como problemas de patologia individual. Essas estratégias produziram, ao longo do século XIX, quatro figuras submetidas à observação e ao controle social, inventadas no interior de discursos reguladores: a mulher histérica; a criança masturbadora; o casal que utiliza formas artificiais de controle de natalidade e o "pervertido", especialmente o homossexual.

A importância desse argumento é que ele questiona, fundamentalmente, a ideia de que a regulação social submete ao controle tipos preexistentes de ser. O que, de fato, ocorre é que uma preocupação social generalizada com o controle da população faz surgir uma preocupação específica com tipos particulares de pessoas, que são simultaneamente evocadas e controladas dentro do complexo "poder-saber". Isso não quer dizer que a sexualidade feminina, a masturbação, o controle da natalidade ou a homossexualidade não existissem antes. O que isso quer dizer é que a especificação das pessoas através dessas características, a criação de "posições-de-sujeito" ao redor dessas atividades é um fenômeno histórico.

As dimensões sociais da sexualidade

Estamos sugerindo que a sexualidade é modelada na junção de duas preocupações principais: com a nossa subjetividade (quem e o que somos) e com a sociedade (com a saúde, a prosperidade, o crescimento e o bem-estar da população como um todo). As duas estão intimamente conectadas, porque no centro de ambas está o corpo e suas potencialidades. Na medida em que a sociedade se tornou mais e mais preocupada com as vidas de seus membros – pelo bem da uniformidade moral; da prosperidade econômica; da segurança nacional ou da higiene e da saúde –, ela se tornou cada vez mais preocupada com o disciplinamento dos corpos e com a vida sexual dos indivíduos. Isso deu lugar a métodos intrincados de administração e de gerenciamento; a um florescimento de ansiedades morais, médicas, higiênicas, legais; e a intervenções voltadas ao bem-estar ou ao escrutínio científico, todas planejadas para compreender o eu através da compreensão e da regulação do comportamento sexual.

O período vitoriano é um período crucial para se compreender esse processo em toda sua complexidade.

Tradicionalmente, os historiadores e as historiadoras têm se concentrado no caráter repressivo da época, e, sob muitos aspectos, isso se constitui numa descrição acurada. Havia, de fato, uma grande dose de hipocrisia moral, já que os indivíduos (especialmente homens) e a sociedade aparentavam respeitabilidade, mas faziam algo bem diverso. A sexualidade das mulheres era severamente regulada para assegurar a "pureza", mas, ao mesmo tempo, a prostituição era abundante. As doenças venéreas representavam uma grande ameaça à saúde, mas eram enfrentadas através de tentativas de controlar e regular a sexualidade feminina em vez da masculina. Na metade do século XIX, estimuladas pela expansão de epidemias tais como o cólera e o tifo em cidades superpovoadas, as tentativas de reformar a sociedade se concentraram em questões de saúde e moralidade pessoal. De 1860 até 1890, a prostituição, as doenças venéreas, a imoralidade pública e os vícios privados estavam no centro dos debates: muitas pessoas viam na decadência moral um símbolo da decadência social.

Tais preocupações não são exclusivas do século XIX: a sexualidade se tornava, mais e mais, uma obsessão pública. Nos anos antecedentes à I Guerra Mundial, estava em voga a eugenia, a procriação planejada dos melhores indivíduos. Embora nunca dominante, ela teve uma influência significativa em alguns países, na modelação de políticas de bem-estar e na tentativa de reordenar as prioridades nacionais em face da competição internacional. Ela também alimentou um racismo florescente nos anos entreguerras, visto que os políticos temiam uma degradação da população, possibilitando o domínio das "raças inferiores". Nos anos 1940 – o período crucial para o estabelecimento do estado de bem-estar em muitas sociedades ocidentais – havia uma preocupação urgente com as vantagens do controle da natalidade ("planejamento familiar"), a fim de assegurar que as famílias fossem constituídas pelo tipo certo de indivíduo, bem como uma preocupação com os papéis apropriados para homens e mulheres (especialmente mulheres) na família, no admirável mundo novo da democracia social.

Ligado a isso, ao redor dos anos 1950, num aprofundamento da Guerra Fria, havia uma nova caça aos "degenerados" sexuais, especialmente homossexuais, que não apenas viviam fora das famílias, mas eram também, aparentemente, particularmente suscetíveis à traição. Ao redor dos anos 1960, um novo liberalismo ("permissividade") parecia dividido entre um relaxamento dos velhos códigos sociais autoritários e a descoberta de novos modos de regulação social, baseados no que havia de mais moderno na psicologia social e numa redefinição da divisão público/privado. Durante os anos 1970 e 1980 houve, de fato, o começo de uma reação contra aquilo que era visto como os excessos da década anterior e, talvez pela primeira vez, a sexualidade se tornou uma verdadeira questão política de primeira linha, com a Nova Direita identificando o "declínio da família", o feminismo e a nova militância homossexual como potentes símbolos do declínio nacional.

O que está em jogo nesses recorrentes debates sobre a moralidade e o comportamento sexual? Está presente, claramente, uma série de preocupações diferentes mas relacionadas: as relações entre homens e mulheres; o problema do desvio sexual; a questão da família e de outros relacionamentos; as relações entre adultos e crianças; a questão da diferença, seja de classe, gênero ou raça. Cada uma dessas tem uma longa história, mas nos últimos duzentos anos elas se tornaram preocupações centrais, frequentemente se centrando ao redor de questões sexuais. Elas ilustram o poder da crença de que os debates sobre a sexualidade são debates sobre a natureza da sociedade: tal sexo, tal sociedade.

Até aqui estivemos concentrados na importância simbólica atribuída à sexualidade e em algumas das razões para isso. Mas é importante reconhecer que a sexualidade não é um domínio unificado. Na próxima seção, vamos examinar algumas das forças que modelam as crenças e os comportamentos sexuais, complicando as identidades sexuais.

A suposição aqui é que o poder não atua através de mecanismos de simples controle. De fato, ele atua através de mecanismos complexos e superpostos – e muitas vezes contraditórios – que produzem dominação e oposições, subordinação e resistências. Há muitas estruturas de dominação e subordinação no mundo da sexualidade, mas três elementos ou eixos interdependentes têm sido vistos, atualmente, como particularmente importantes: os da classe, do gênero e da raça. Veremos cada um deles por sua vez.

Sexualidade e poder

Classe e sexualidade

As diferenças de classe no processo de regulação sexual não são específicas do mundo moderno, mas elas se tornaram mais nitidamente aparentes nos últimos duzentos anos. Foucault argumentou que a própria ideia de "sexualidade" como um domínio unificado é essencialmente uma ideia burguesa, desenvolvida como parte da autoafirmação de uma classe ansiosa para diferenciar a si mesma da imoralidade da aristocracia e da promiscuidade supostamente irrestrita das classes inferiores. Era basicamente um projeto colonizador, buscando remodelar tanto a política quanto o comportamento sexual à sua própria imagem. Os padrões respeitáveis de vida familiar desenvolvidos no século XIX (os "valores vitorianos") – com a demarcação crescente entre papéis masculinos e femininos, uma ênfase nova na necessidade de elevar o comportamento público aos melhores padrões da vida privada e um agudo interesse no policiamento público da sexualidade não conjugal, não heterossexual – tornaram-se, crescentemente, a norma pela qual todo comportamento era julgado.

Isso não significa, naturalmente, que todos ou mesmo a maioria dos comportamentos se conformassem à norma. Os historiadores e as historiadoras têm fornecido muitas evidências de que a classe operária continuou extremamente resistente às condutas da classe média. Os padrões de comportamento herdados de seus antecedentes rurais continuaram a estruturar a cultura sexual das pessoas da classe operária por um bom tempo no século XX. O fato de que tais padrões eram diferentes daqueles da burguesia não significa que eles eram piores. Contudo, é verdade que os padrões de vida sexual no século atual são o resultado de uma luta social na qual classe e sexualidade estão, inextricavelmente, ligadas. Isso se refletiu até mesmo no nível da fantasia, particularmente na crença, evidente na cultura masculina de classe alta (heterossexual e homossexual), de que a mulher e o homem da classe operária eram, de algum modo, mais espontâneos, mais próximos da natureza do que as outras pessoas.

O resultado foi a existência de padrões bastante distintos de classe em relação à sexualidade, em várias épocas. Por exemplo, atitudes em relação ao controle da natalidade variavam consideravelmente, com as classes profissionais tomando a liderança, a partir de 1860, no processo de adoção da contracepção artificial. As famílias da classe operária como um todo, por sua vez, tinham, até depois da II Guerra Mundial, grandes famílias (McLaren, 1978; Weeks, 1989). Mas também é insensato generalizar sobre padrões de classe. Trabalhadores têxteis do começo do século XIX tinham tendência a ter famílias menores. Nos anos entreguerras havia marcadas diferenças entre as atividades contraceptivas das mulheres operárias fabris, que tinham acesso a informações sobre o controle da natalidade, e trabalhadoras domésticas, que frequentemente não tinham. Como ocorre atualmente, no Terceiro Mundo, ter famílias grandes muitas vezes era economicamente racional em muitas situações sociais, e inapropriado em outras. Fatores geográficos, religiosos, de emprego e outros entravam, inevitavelmente, em jogo.

O mesmo se passa em relação a muitos outros aspectos do comportamento sexual, como, por exemplo, nas atitudes em relação à masturbação, à aceitação da prostituição ocasional, nas atitudes em relação à homossexualidade (Kinsey *et al.*, 1948; 1953). A classe, em outras palavras, foi um fator crucial, mas nem sempre decisivo, na modelação das escolhas da atividade sexual.

Gênero e sexualidade

Isso nos leva à questão do gênero em si. As classes são constituídas de homens e mulheres e diferenças de classe e status podem não ter o mesmo significado para mulheres e homens. O gênero é uma divisão crucial.

O gênero não é uma simples categoria analítica; ele é, como as intelectuais feministas têm crescentemente argumentado, uma relação de poder. Assim, padrões de sexualidade feminina são, inescapavelmente, um produto do poder dos homens para definir o que é necessário e desejável – um poder historicamente enraizado.

O século XIX constituiu um momento central na definição da sexualidade feminina. Os termos dessa definição têm influenciado fortemente nossos próprios conceitos, bem como nossos pressupostos sobre a importância das diferenças corporais. Já vimos como funciona um desses processos, no exemplo de Herculine Barbin, discutido anteriormente. Agora vamos examinar novamente a questão, num quadro histórico de referência mais amplo. Thomas Laqueur (1990) argumentou que as transformações políticas, econômicas e culturais do século XVIII criaram o contexto no qual a articulação de diferenças radicais entre os sexos se tornou culturalmente imperativa.

Num longo e sutil exame da evolução dos conceitos de corpo e gênero, dos gregos até o século XX, Laqueur sugere que tem havido modificações fundamentais nos modos como nós vemos a relação entre o corpo masculino e o corpo feminino. Ele argumenta que, até o século XVIII, o discurso dominante "construiu os corpos masculino e feminino como versões hierárquica e verticalmente ordenadas de um único sexo" (Laqueur, 1990, p. 10). O modelo hierárquico, mas de sexo único, certamente interpretava o corpo feminino como uma versão inferior e invertida do masculino, mas enfatizava, não obstante, a importância do papel do feminino no prazer sexual, especialmente no processo da reprodução. O orgasmo feminino e o prazer eram vistos como necessários para a fecundação bem-sucedida. O esgotamento desse modelo, nos debates políticos e médicos, levou à sua substituição, no século XIX, por um modelo reprodutivo que enfatizava a existência de dois corpos marcadamente diferentes, a radical oposição das sexualidades masculina e feminina, o ciclo reprodutivo automático da mulher e sua falta de sensação sexual. Esse foi um momento crítico na reformulação das relações de gênero, porque sugeria a diferença absoluta de homens e mulheres: não mais um corpo parcialmente diferente, mas dois corpos singulares, o masculino e o feminino.

Laqueur argumenta que a mudança que ele descreve não surgiu diretamente de um avanço científico, nem era o simples produto de um esforço singular voltado para o controle social das mulheres pelos homens. O emergente discurso sobre a diferença sexual permitia um amplo leque de respostas sociais e políticas diferentes e, frequentemente, contraditórias. Mas no centro das definições emergentes estavam novas relações culturais e políticas, que eram o produto de mudanças no equilíbrio de poder entre homens e mulheres. A nova percepção da sexualidade feminina e da biologia reprodutiva tinha sido absolutamente central para o moderno discurso social e político, pois enfatizava a diferença e a divisão, em vez da similaridade e da complementaridade.

Ainda que a dominação masculina permaneça uma característica central da sociedade moderna, é importante lembrar que as mulheres têm sido ativas participantes na modelação de sua própria definição de necessidade. Além do feminismo, as práticas cotidianas da vida têm oferecido espaços para as mulheres determinarem suas próprias vidas. Têm se ampliado, a partir do século XIX, os espaços aceitáveis, para incluir não apenas o prazer no casamento, mas também formas relativamente respeitáveis de comportamento não procriativo. Os padrões de privilégio sexual masculino não foram totalmente rompidos, mas há, agora, abundantes evidências de que tal privilégio não é inevitável nem imutável.

Raça e sexualidade

A classe e o gênero não são as únicas diferenças que modelam a sexualidade. Categorizações por classe e gênero fazem interseção com as de etnia e raça. Esse aspecto da sexualidade geralmente foi ignorado por historiadores/as e cientistas sociais até recentemente, mas ele é, todavia, um elemento vital da história da sexualidade.

As ideologias sexuais da última parte do século XIX apresentavam a pessoa negra – "o feroz selvagem" – como situada abaixo da branca na escala evolutiva: mais próxima das origens da raça humana; isto é, mais próxima da natureza. Tais visões sobreviveram mesmo entre os antropólogos culturalmente relativistas que deslocaram muitos dos teóricos evolucionistas depois da virada do século (Coward, 1983). Uma das atrações das descrições das culturas não industriais era precisamente o sentimento subliminar de que lá as pessoas eram muito mais livres relativamente aos constrangimentos da civilização. Representassem os povos não europeus a infância da raça ou a promessa de uma espontaneidade livre dos efeitos de uma civilização corruptora, o fio comum era a diferença simbólica representada pelo corpo não branco.

A consciência de outras culturas e outros costumes sexuais, então, apresentou, portanto, um desafio e uma ameaça. Para sexólogos como Havelock Ellis, os exemplos das sociedades não industriais forneciam uma justificativa para suas críticas reformistas das normas sexuais ocidentais. Ao mesmo tempo, Ellis, como muitos outros de sua geração, apoiava as políticas eugenistas, que eram baseadas na crença de que era possível melhorar a "linhagem racial" pela procriação planejada daquilo que de melhor existia na sociedade. A afirmação de que a linhagem racial poderia (e deveria) ser melhorada era baseada em duas suposições relacionadas: em primeiro lugar, que os pobres operários, cujos corpos eram enfraquecidos pela saúde precária e pelos efeitos da sociedade industrial, estavam desqualificados em relação à esperança de progresso social; e, em segundo lugar, que as "raças inferiores" do mundo representavam uma ameaça (particularmente por causa de sua fertilidade) para o futuro das raças imperiais da Europa. O objetivo de pessoas como Ellis era, ostensivamente, melhorar a raça humana, e não criar uma raça particular. Mas, inevitavelmente, as suposições sobre o que era socialmente desejável estavam filtradas pelas crenças da época.

Pode ser argumentado que as próprias definições de masculinidade e feminilidade e de comportamento sexual apropriado para qualquer sexo, durante os últimos dois séculos, tenham sido moldadas, em grande medida, em resposta ao "Outro" representado pelas culturas alienígenas. Pensemos, por exemplo, nos mitos da hipersexualidade dos homens negros e na ameaça à pureza feminina que eles representavam, comum em muitas situações coloniais, bem como no extremo sul dos Estados Unidos. Consideremos a importância, no *apartheid* sul africano, da proibição de relações sexuais entre membros de diferentes grupos raciais, ou a fascinação com a sexualidade exótica das mulheres em outras culturas, tal como representada na arte e na literatura. A sexualidade ocidental, com suas normas de diferenciação sexual, monogamia, heterossexualidade e (em alguns períodos, pelo menos) respeitabilidade, tem sido tanto questionada e solapada quanto triunfantemente reafirmada pelo conhecimento de outras culturas, outros corpos e outras sexualidades. A citação seguinte, de Valerie Amos e Pratibha Parmar, duas feministas negras contemporâneas, sugere que nós ainda não nos livramos dessa história:

> As feministas brancas caíram na armadilha de avaliar a experiência das mulheres negras em oposição à sua própria experiência, rotulando-a, de algum modo, como de carência, e então procuraram formas pelas quais fosse possível subordinar a experiência das mulheres negras à sua própria. Comparações são feitas com nossos países de origem, dos quais se diz, fundamentalmente, que exploram as mulheres negras. A histeria, no movimento ocidental de mulheres, ao redor de assuntos como casamentos arranjados, o véu, as casas chefiadas por mulheres, está, frequentemente, além da compreensão da mulher negra – essa histeria está vinculada às assim denominadas noções feministas do que constitui uma prática boa ou má, nas nossas comunidades, na Grã-Bretanha ou no Terceiro Mundo.
>
> Ao rejeitar tais análises, nós queremos situar a família negra nas experiências históricas do povo negro – não nas formas românticas idealizadas, populares entre alguns antropólogos, e não meramente como um instrumento de análise. Há questões sérias a respeito de quem escreveu esta história e de que forma a escreveu, questões que têm de ser tratadas antes que nós, como pessoas negras, usemos essa história como um elemento adicional de nossa análise. As mulheres negras não podem simplesmente jogar fora suas experiências de vida em determinados tipos de organização doméstica: elas querem usar essa experiência para transformar as relações familiares. Os estereótipos a respeito da família

> negra têm sido usados pelo Estado para justificar formas particulares de opressão. A adoção de crianças negras é um problema corriqueiro: as famílias negras são vistas como sendo "inadequadas" para adoção. A legislação racista sobre imigração tende a separar os membros familiares, particularmente da comunidade asiática, mas agora essa legislação não é legitimada apenas por apelos às ideologias racistas contidas em noções de "invasão" [de estrangeiros]. Na realidade, algumas feministas tentam justificar tais práticas legislativas, com o argumento de que é necessário proteger as garotas asiáticas em relação aos horrores do sistema de casamentos arranjados. Feministas brancas, tenham cuidado! Suas suposições inquestionáveis e racistas sobre a família negra, sua abordagem acrítica e desinformada em relação à "cultura negra" têm raízes profundas e, de fato, influenciam a prática estatal (Amos; Parmar, 1984, p. 11).

A análise das relações de poder em torno da classe, do gênero e da raça demonstra a complexidade das forças que modelam as atitudes e o comportamento sexual. Essas forças, por sua vez, abrem o caminho para o desenvolvimento de identidades sexuais diferenciadas. Na próxima seção, examinaremos a questão da identidade em maiores detalhes, para mostrar os principais fatores que modelaram as divisões que nós tomamos como naturais, mas que são, de fato, historicamente construídas.

Identidades sexuais

A institucionalização da heterossexualidade

Examinemos outra vez as palavras – isto é, a linguagem – usadas para descrever a sexualidade. Eu gostaria de examinar, particularmente, a história de dois termos principais – termos que agora tomamos como dados, a um grau tal que supomos que eles têm uma aplicação universal: "heterossexualidade" e "homossexualidade". De fato, esses termos são de origem relativamente recente, e vou sugerir que sua invenção – pois é disso que se trata – é um sinal importante de mudanças mais amplas. Para ser mais preciso, a emergência desses dois termos marca um estágio crucial na delimitação e definição modernas da sexualidade. Será, sem dúvida, uma surpresa para muitas pessoas saber que uma definição mais aguda de "heterossexualidade" como sendo a norma foi forçada precisamente pela tentativa de definir a "homossexualidade", isto é, a forma "anormal" de sexualidade, mas os dados de que agora dispomos sugerem que foi exatamente isso que ocorreu.

Os dois termos foram cunhados, ao que parece, pela mesma pessoa, Karl Kertbeny, um escritor austro-húngaro, e foram usados pela primeira vez publicamente, por ele, em 1869. O contexto no qual esses neologismos emergiram é importante: eles foram desenvolvidos em relação a uma tentativa anterior de colocar na pauta política da Alemanha (que em breve seria unificada) a questão da reforma sexual, em particular, a revogação das leis antissodomitas. Eles eram parte de uma campanha embrionária, subsequentemente assumida pela disciplina da sexologia, então em desenvolvimento, de definir a *homossexualidade* como uma forma distintiva de sexualidade: como uma variante benigna, aos olhos dos reformadores, da potente mas impronunciada e mal definida noção de "sexualidade normal" (aparentemente, outro conceito usado pela primeira vez por Kertbeny). Até aqui, a atividade sexual entre pessoas do mesmo sexo biológico tinha sido tratada sob a categoria geral de sodomia, a qual geralmente era vista não como a atividade de um tipo particular de pessoa, mas como um potencial em toda natureza pecadora. Aqueles que, no princípio, promoviam campanhas que buscavam mudar as atitudes em face das relações com o mesmo sexo estavam ansiosos para sugerir que a homossexualidade era a marca de um tipo distintivo de pessoa. Como notou Michel Foucault, o sodomita era visto como uma aberração temporária, enquanto que o homossexual pertencia a uma espécie própria (Foucault, 1993).

O desenvolvimento desses termos deve ser visto, por conseguinte, como parte de um grande esforço, no final do século XIX e no começo do XX, para definir mais estreitamente os tipos e as formas do comportamento e da identidade sexuais; e é nesse esforço que a homossexualidade e a heterossexualidade se tornaram termos cruciais e opostos. Durante esse processo, entretanto, as implicações das palavras mudaram de forma sutil. A homossexualidade, em vez de descrever uma variante benigna da normalidade, como, originalmente, pretendia Kertbeny, tornou-se, nas mãos de sexólogos pioneiros como Krafft-Ebing, uma descrição médico-moral. A heterossexualidade, por outro lado, como um termo para descrever a norma até então pouco teorizada, passou, lentamente, a ser usada ao longo do século XX – mais lentamente, devemos notar, do que a palavra que era seu par. Uma norma talvez não necessite de uma definição explícita; ela se torna o quadro de referência que é tomado como dado para o modo como pensamos; ela é parte do ar que respiramos.

Quais são as implicações desta nova linguagem e das novas realidades que elas assinalam? Nosso senso comum toma como dado que esses termos demarcam uma divisão real entre as pessoas: há "heterossexuais" e há "homossexuais", havendo um outro termo para aquelas que não se ajustam exatamente nessa clara divisão: "bissexuais". Mas o mundo real nunca é assim tão ordenado, e a pesquisa histórica recente tem demonstrado que não apenas outras culturas não têm essa forma de ver a sexualidade humana, como também não a tinham as culturas ocidentais, até mais ou menos recentemente.

Não estou argumentando, obviamente, que o que conhecemos hoje como atividade heterossexual ou homossexual não existisse antes do século XIX. A verdadeira questão é mais sutil: o modo como a atividade sexual é conceptualizada, e consequentemente dividida, tem uma história e uma história que importa. A discussão sobre termos, no final do século XIX, assinala um novo esforço para redefinir a norma. Uma parte importante desse processo centrava-se na definição do que constitui a anormalidade. Os dois esforços – a redefinição da norma e a definição do que constitui anormalidade – estão inextricavelmente ligados.

A tentativa de definir mais rigorosamente as características do "pervertido" (termos descritivos tais como "sadomasoquismo" e "travestismo" para as atividades relacionadas com sexo emergiram no fim do século XIX, ao lado de termos como "homossexualidade" e "heterossexualidade") foi um elemento importante naquilo que estou chamando de institucionalização da heterossexualidade nos séculos XIX e XX. Essa definição era, em parte, um empreendimento sexológico. A sexologia tomou a si duas tarefas distintas ao final do século XIX. Em primeiro lugar, tentou definir as características básicas do que constitui a masculinidade e a feminilidade normais, vistas como características distintas dos homens e das mulheres biológicos. Em segundo lugar, ao catalogar a infinita variedade de práticas sexuais, ela produziu uma hierarquia na qual o anormal e o normal poderiam ser distinguidos. Para a maioria dos pioneiros, os dois empreendimentos estavam intimamente ligados: a escolha do objeto heterossexual estava estreitamente ligada ao intercurso genital. Outras atividades sexuais ou eram aceitas como prazeres preliminares ou eram condenadas como aberrações.

A sexologia, porém, apenas colocou os termos do debate. A história social da heterossexualidade no século XX é muito mais complexa do que isso, não podendo ser descrita como simples reflexo da literatura sexológica. É tentador ver essa história social como a soma total de todos os desenvolvimentos em relação à sexualidade no século, porque mesmo as cambiantes ideias sobre a diversidade sexual fazem sentido apenas em relação a uma norma aparentemente dada pela natureza. Podemos, porém, apontar alguns elementos importantes que sugerem que a heterossexualidade como uma instituição é, ela própria, um fenômeno historicamente cambiante. Consideremos, por exemplo:

✓Mudanças na vida familiar e reconhecimento da diversidade nos padrões de vida doméstica, o que sugere que a própria família é uma forma historicamente cambiante.

✓Padrões cambiantes de emprego e uma maior integração das mulheres na força de trabalho assalariada, o que tem mudado, inevitavelmente, o equilíbrio entre homens e mulheres, mesmo que desigualdades importantes tenham sobrevivido e permaneçam profundamente encravadas.

✓Mudanças nos padrões de fertilidade e a utilização mais ampla de técnicas de controle de natalidade aborto, etc., o que tem possibilitado novas potencialidades nas relações sexuais entre homens e mulheres.

✓Uma nova ênfase, no século XX, no sexo como prazer, refletida na explosão da literatura a respeito da forma como alcançar o prazer sexual, como evitar a frigidez, a ejaculação precoce, etc., a qual tem servido para colocar uma ênfase extraordinária nas relações sexuais como forma de manter juntos os casais.

Algumas autoras feministas têm sugerido que o que ocorreu foi que a heterossexualidade foi institucionalizada como "compulsória", de um modo que prende, ainda mais estreitamente, as mulheres aos homens (Rich, 1984; Jackson, 1987). O ponto interessante a notar aqui é que os/as historiadores/as e cientistas sociais têm dado muito pouca atenção a esse processo de institucionalização.

Inventando a homossexualidade

Voltemo-nos agora para história da homossexualidade, sobre a qual muito tem sido escrito nos últimos vinte anos. Pode parecer estranho examinar em detalhes o que parecerá, para muitos, ser uma atividade de minoria. Mas acredito que ao compreender a história da homossexualidade podemos ter uma nova compreensão a respeito da construção da heterossexualidade e da sexualidade como um todo.

Começarei com uma afirmação forte: antes do século XIX a "homossexualidade" existia, mas o/a "homossexual" não.

Dito de um modo simples: embora a homossexualidade tenha existido em todos os tipos de sociedade, em todos os tempos, e tenha sido, sob diversas formas, aceita ou rejeitada, como parte dos costumes e dos hábitos sociais dessas sociedades, somente a partir do século XIX e nas sociedades industrializadas ocidentais, é que se desenvolveu uma categoria homossexual distintiva e uma identidade a ela associada. A emergência, na Alemanha e em outros países da Europa Central e Ocidental, tal como a Grã-Bretanha, nos anos 1870 e 1880, de escritos sobre homossexuais – e, mais crucialmente, *por* homossexuais – foi um estágio importante nessa mudança. Ao definir o "sentimento sexual contrário", ou a existência de um "terceiro" gênero ou de um gênero "intermediário", Richard von Krafft-Ebing, Magnus Hirschfeld, Havelock Ellis e outros estavam tentando assinalar a descoberta ou o reconhecimento de um tipo distinto de pessoa, cuja essência sexual era significativamente diferente daquela do/da "heterossexual" – uma outra categoria que foi inventada, como vimos, mais ou menos na mesma época.

Nessas circunstâncias, não estou argumentando que esses recentemente definidos homossexuais fossem fruto da imaginação desses prestigiados autores. Pelo contrário, esses autores estavam tentando descrever e explicar indivíduos que encontravam através dos tribunais, de suas práticas médicas, de seus amigos ou nas suas vidas pessoais (Ulrichs e Hirschfeld, por exemplo, eram eles próprios homossexuais; Havelock Ellis foi casado com uma autodenominada lésbica). O que afirmo, porém, é que esse novo zelo categorizador e definidor, ao redor do final do século XIX, constituiu uma mudança tão significativa na definição pública e privada da homossexualidade quanto a emergência de uma política gay e lésbica aberta e desafiadora nas cidades americanas, em fins dos anos 1960 e início dos anos 1970. Ambas representavam uma transformação crítica do que significava ser sexual. Elas simbolizavam rupturas cruciais nos significados dados à diferença sexual.

O que existia, pois, antes do século XIX? O historiador americano Randolph Trumbach (1989) detectou dois padrões principais da interação homossexual no Ocidente, desde o século XII, os quais, por sua vez, fazem eco a dois grandes padrões da organização da homossexualidade em escala mundial, tal como revelado pelas evidências de antropólogos. Ao redor do ano 1100, argumenta ele, um padrão cultural ocidental diferente começa a aparecer. O casamento era tardio e monogâmico. As relações sexuais fora do casamento eram proibidas, mas permitidas sob a forma da prostituição regulada. Porém, todas as formas de atividade sexual que não fossem procriativas eram olhadas como pecaminosas, fossem elas solitárias, entre homens e mulheres, homens e homens, homens e animais (as relações entre mulheres, embora algumas vezes observadas, não atingiam a mesma ignomínia).

Não obstante, as atividades homossexuais entre homens ocorriam de fato. Quando elas aconteciam, eram usualmente entre um adulto ativo e um adolescente passivo. Comumente, o adulto masculino também tinha relações sexuais com mulheres. O garoto, desde que adotasse um papel ativo na vida adulta, não sofria nenhuma perda de *status* ou de virilidade. Pelo contrário, na medida em que o papel fosse ativo, a atividade homossexual poderia ser vista como um sinal de virilidade. Mas o mesmo não era verdade para aqueles que mantinham um papel passivo na vida adulta: eles eram estigmatizados e, frequentemente, maltratados.

Esse padrão é muito comum em várias partes do mundo. Ele é essencialmente o antigo modelo grego, mas que sobreviveu, vigoroso, até o século XX, particularmente nos países mediterrâneos e também em algumas subculturas das sociedades ocidentais. Apesar disso, a partir do início do século XVIII, ele foi gradualmente superado por um segundo modelo, que associou, cada vez mais, qualquer comportamento homossexual masculino, fosse ativo ou passivo, com ser efeminado, com abrir brechas no comportamento de gênero esperado ou aceito. A emergência, no início do século XVIII, de subculturas de travestis masculinos, em Londres e em outras importantes cidades ocidentais, assinala uma mudança. Aqui, os *mollies*, como eram chamados na Inglaterra, poderiam encontrar outros iguais a eles e começar a definir alguma espécie de sentido de diferença e de identidade. Pela metade do século XIX, essa espécie de subcultura estava bem desenvolvida em cidades como Londres, Paris e Berlim.

Basicamente, o que parece ter acontecido é que a transformação na vida familiar, a partir do século XVIII, e as marcadas distinções de papéis sociais e sexuais masculinos e femininos associadas com isso tiveram o efeito de aumentar a estigmatização dos homens que não se conformassem prontamente aos papéis sociais e sexuais deles esperados. Aqueles que rompessem com as expectativas sociais do que era considerado ser um homem eram categorizados como não sendo homens de verdade, o que Marcel Proust, no início do século XX, chamou *de homme-femme* ("homem-mulher"). As atitudes em relação às mulheres eram significativamente diferentes, refletindo a sua subordinação social e sexual e a expectativa de que elas não poderiam ser autonomamente sexuais (algo a que voltarei adiante).

Se essa visão geral é acurada, ela sugere que o que estava tendo lugar no final do século XIX, em países como a Alemanha e a Grã-Bretanha, emergiu de desenvolvimentos subculturais que já estavam em marcha havia uns duzentos anos. Na Inglaterra, a rajada de escândalos e casos levados aos tribunais, culminando no mais famoso de todos, o julgamento de Oscar Wilde, em 1895, revelou para um público estupefato a existência de um já complexo submundo sexual, ao lado da nova respeitabilidade sexual hegemônica. A teorização sobre *urning* ou "terceiro sexo" por escritores tais como Ulrichs, Hirschfeld ou Edward Carpenter pode ser vista, então, como uma descrição de um tipo de pessoa que tinha já diferenciado a si mesma da norma. Simultaneamente, a construção da categoria sexológica e psicológica do "homossexual" pelos novos cientistas sexuais do final do século XIX foi uma tentativa de definir as leis naturais que explicavam o que era usualmente visto como uma patologia. Do mesmo modo, as mudanças legais, por exemplo, na Alemanha e Grã-Bretanha, que apontavam penalidades contra a homossexualidade masculina, assinalavam uma tentativa de regular e controlar a perversidade sexual.

Mas ainda que, num certo sentido, esses desenvolvimentos representassem a racionalização de processos de longa duração e tivessem sido impossíveis sem eles, essa não é toda a história. Precisamente do mesmo modo que o explosivo surgimento da liberação gay nos Estados Unidos, em 1969, desenvolveu-se a partir de redes de comunidades bem estabelecidas, dando início, então, a algo distintamente novo, assim também as mudanças do final do século XIX colocaram o discurso da homossexualidade num novo patamar. A homossexualidade tornou-se uma categoria científica e sociológica, classificando a perversidade sexual de um novo modo, e isso teve, inevitavelmente, desde então, seus efeitos na prática médica e legal, construindo a ideia de uma natureza distintiva e, talvez, de uma natureza exclusivamente homossexual. E, possivelmente de forma ainda mais importante, iniciou uma nova fase da autodefinição homossexual, em face do trabalho definidor das novas normas médicas e psicológicas.

A partir do século XIX, um novo modelo de "homossexual" emergiu da literatura científica, embora houvesse todo tipo de disputas sobre as explicações para esse estranho fenômeno: biológica, hormonal, ambiental, psicológica (Plummer, 1981a). Esse modelo forneceu, num certo sentido, a norma ao redor da qual as pessoas assim definidas eram constrangidas, até bem recentemente, a viver suas vidas. Mas as suas vidas eram naturalmente diferenciadas por muitos outros fatores. As diferenças de classe nos estilos de vida gay têm sido aparentes, pelo menos desde o século XIX, desde antes de Oscar Wilde "festejar com panteras", como ele descreveu seu flerte com rapazes da classe trabalhadora. Mais recentemente, temos sido forçosamente lembrados, no Ocidente, de que há também agudas diferenças étnicas e raciais nas atitudes e nas respostas relativamente à homossexualidade (veja a seguir). Mas as diferenças mais bem documentadas são entre homens e mulheres.

O modelo de homossexual que emergiu no século XIX tentou explicar mulheres e homens homossexuais nos mesmos termos, como se tivessem uma causa e características comuns. De fato, o modelo era extraordinariamente baseado na homossexualidade masculina e nunca foi diretamente aplicável às mulheres. Intelectuais lésbicas têm descrito as formas pelas quais relações íntimas entre mulheres fizeram parte de um *continuum* de relações próximas, sem que houvesse uma identidade lésbica distintiva claramente desenvolvida até este século (Faderman, 1980). Homens e mulheres podiam ser classificados pelo mesmo rótulo psicológico, mas suas histórias eram diferentes (Vicinus, 1989).

Deveria ficar claro, a partir do que eu disse, que a nova história da homossexualidade é uma história de identidades: sua emergência, suas complexidades e suas transformações. Isso naturalmente não esgota o assunto da homossexualidade. Boa parte da atividade que ocorre entre pessoas do mesmo sexo nunca é definida como "homossexual" e não afeta radicalmente o sentido de si de alguém: em instituições fechadas como prisões, em encontros ocasionais e em relações um a um que são vistas como especiais, mas não definidoras. Para que surjam identidades distintivas, colocando-se contra as normas heterossexuais de nossa cultura, algo mais do que atividade sexual ou mesmo desejo homossexual é necessário: a possibilidade de algum tipo de espaço social e apoio social ou rede que dê sentido às necessidades individuais.

O crescimento, a partir do século XVIII em diante, dos espaços urbanos, tornando possível tanto a interação social quanto o anonimato, foi um fator crucial no desenvolvimento de uma subcultura homossexual. A crescente complexidade e diferenciação social de uma sociedade industrializada moderna na Europa e na América do Norte, a partir do fim do último século, forneceram uma oportunidade crítica para a evolução das identidades homossexuais masculinas e lésbicas deste século. Mais recentemente, historiadores gays têm demonstrado o papel essencial desempenhado pelo desenvolvimento de comunidades gays altamente organizadas em cidades tais como São Francisco, Nova York e Sidney, no sentido de fornecer a quantidade necessária de pessoas para a organização de massa da política gay.

Na medida em que a sociedade civil nos países ocidentais se torna mais complexa, mais diferenciada, mais autoconfiante, as comunidades lésbica e gay têm se tornado uma parte importante dessa sociedade. Cada vez mais, a homossexualidade se torna uma opção, ou uma escolha, a qual os indivíduos podem seguir de um modo que era impossível numa sociedade mais hierárquica e monolítica. A existência de um modo de vida gay dá oportunidade para as pessoas explorarem suas necessidades e seus desejos, sob formas que eram algumas vezes literalmente inimagináveis até bem pouco tempo. É por isso, obviamente, que a homossexualidade é vista, frequentemente, como uma ameaça para aqueles ligados ao status quo moral, estejam eles situados à esquerda ou à direita do espectro político. A existência de identidades lésbicas e gays positivas simboliza a pluralização cada vez mais crescente da vida social e a expansão da escolha individual que esta oferece.

Repensando as identidades sexuais

Examinemos agora a questão das identidades sexuais num contexto mais amplo. A ideia de uma identidade *sexual* é ambígua. Para muitos, no mundo moderno, é um conceito absolutamente fundamental, oferecendo um sentimento de unidade pessoal, de localização social e até mesmo de comprometimento político. Não são muitas as pessoas que podemos ouvir afirmando "eu sou heterossexual", porque esse é o grande pressuposto. Mas dizer "eu sou gay" ou "eu sou lésbica" significa fazer uma declaração sobre pertencimento, significa assumir uma posição específica em relação aos códigos sociais dominantes.

No entanto, a evidência examinada acima sugere, ao mesmo tempo, que tais identidades são histórica e culturalmente específicas, que elas são selecionadas de um grande número de identidades sociais possíveis, que elas não são atributos necessários de impulsos ou desejos sexuais particulares e que elas não são partes *essenciais* de nossa personalidade. Estamos cada vez mais conscientes de que a sexualidade é tanto um produto da linguagem e da cultura quanto da natureza. Contudo, nós nos esforçamos constantemente para fixá-la e estabilizá-la, para dizer quem somos, ao contar a respeito de nosso sexo.

Quão importante, então, é a identidade sexual e o que ela nos diz sobre a questão da identidade no mundo moderno e pós-moderno? Várias ênfases diferentes sobre a identidade podem ser traçadas.

1. *A identidade como destino.* Esta é a suposição por trás da tradição essencialista tal como nós a descrevemos. Ela sustenta frases tais como "biologia é destino". Supõe que o corpo expressa alguma verdade fundamental. Mas, como vimos, tais postulados têm, eles próprios, uma história. Tudo o que sabemos agora sobre sexualidade põe em questão a ideia de que há um destino sexual predeterminado, baseado na morfologia do corpo. Devemos buscar a justificativa para a identidade em outro lugar.

2. *A identidade como resistência.* Para os teóricos sociais dos anos 1950 e 1960, que primeiramente colocaram em pauta, de forma explícita, a questão da identidade, ao falar de

"crises de identidade" – psicólogos e sociólogos tais como Erik Erikson (1968) e Erving Goffman (ver especialmente Stigma de Goffman, 1968) – a identidade pessoal, grosso modo, equivalia à individualidade, a um forte sentido de si, o que era alcançado através da luta contra o peso da convenção social. Para as "minorias sexuais", chegadas a uma nova consciência de sua separação e individualidade durante o mesmo período – especialmente os homossexuais masculinos e as lésbicas –, a descoberta da identidade era como descobrir um mapa para explorar um novo país. Como afirmou Plummer, os processos de categorização e autocategorização (isto é, o processo de formação de identidade) podem controlar, restringir e inibir, mas simultaneamente oferecem conforto, segurança e confiança (Plummer, 1981a).

Assim, a preocupação que as pessoas sexualmente marginalizadas têm com a identidade não pode ser explicada como um efeito de uma peculiar obsessão pessoal com sexo. Ela pode ser vista, em vez disso, mais apropriadamente, como uma forte resistência ao princípio organizador de atitudes sexuais tradicionais. Foram ativistas sexuais radicais que mais insistentemente politizaram a questão da identidade sexual. Mas o programa foi largamente moldado pela importância atribuída por nossa cultura ao comportamento sexual "correto".

3. *A identidade como escolha.* Isso nos leva à questão do grau em que as identidades sexuais, especialmente aquelas estigmatizadas pela sociedade mais ampla, são, no final, escolhas feitas livremente. Tem-se argumentado que muitas pessoas são "empurradas" para a identidade, derrotadas pela contingência, em vez de guiadas pela vontade. Tem-se

identificado quatro estágios característicos na construção de uma "identidade pessoal estigmatizada":

(I) *sensibilização*: o indivíduo torna-se consciente, através de uma série de encontros, da diferença dele ou dela em relação à norma, por exemplo, por ser rotulado por seus pares como "maricas" (o menino) ou "joãozinho" (a menina);

(II) *significação*: o indivíduo começa a atribuir sentido a essas diferenças, na medida em que ele ou ela se torna consciente da gama de possibilidades no mundo social;

(III) *subculturização*: o estágio de reconhecimento de si mesmo, através do envolvimento com os outros, por exemplo, através dos primeiros contatos sexuais;

(IV) *estabilização*: o estágio da completa aceitação de seus sentimentos e estilo de vida, como, por exemplo, através do envolvimento numa subcultura que seja capaz de dar apoio a pessoas com a mesma inclinação.

Não há nenhuma progressão automática através desses estágios. Cada transição é tão dependente do acaso quanto da decisão. Não há nenhuma aceitação necessária de um destino final, de uma identidade sociossexual explícita, como gay, por exemplo, ou lésbica. Alguns indivíduos são forçados a escolhas, através da estigmatização ou do descrédito público – por exemplo, através da prisão ou do julgamento por ofensas sexuais. Outros adotam identidades abertas por razões políticas.

Pode ser argumentado que sentimentos e desejos sexuais são uma coisa, enquanto a aceitação de uma posição social particular e um organizado senso de si – isto é, uma identidade – é outra. Não existe nenhuma conexão necessária entre comportamento e identidade sexual.

Tomemos, por exemplo, a estatística mais conhecida de Alfred Kinsey: cerca de 37 % de sua amostra de homens tinham tido experiências homossexuais que chegaram ao orgasmo. Mas menos de 4% eram exclusivamente homossexuais, e mesmo esses não expressavam necessariamente uma identidade homossexual (Kinsey *et al.*, 1948). Assim, o aparente paradoxo é que há algumas pessoas que se identificam como gays e participam da comunidade gay, mas que podem não ter qualquer atividade sexual homossexual. E outras podem ser homossexualmente ativas (por exemplo, na prisão), mas recusam o rótulo de "homossexual".

A conclusão é inescapável. Sentimentos e desejos podem estar profundamente entranhados e podem estruturar as possibilidades individuais. As *identidades*, entretanto, podem ser escolhidas, e, no mundo moderno, com sua preocupação com a sexualidade "verdadeira", a escolha é muitas vezes altamente política.

Tomemos um exemplo disso. Durante os anos 1980, as questões de raça e etnicidade ganharam uma nova importância e, muitas vezes, desafiaram muitas das suposições sobre a natureza unitária das recém-assumidas e expressadas identidades gay e lésbica. Como resultado, ganharam destaque as diferentes implicações da homossexualidade em diferentes comunidades e, portanto, os diferentes sentidos que ela poderia ter. Eis aqui, por exemplo, os comentários de um homem gay asiático:

> Nossa comunidade [isto é, a comunidade asiática] propicia um espaço acarinhador... [As famílias] são muitas vezes muralhas contra o racismo institucional e individual que encontramos diariamente... E então nós descobrimos nossa sexualidade. Isso nos

> afasta da família e da comunidade, mais até do que uma pessoa branca. [...] Muito frequentemente nós vivemos duas vidas, escondendo nossa sexualidade da família e dos amigos a fim de manter nossas relações no interior de nossa comunidade, enquanto expressamos nossa sexualidade longe da comunidade (*apud* WEEKS, 1990, p. 236).

As lealdades conflitantes colocadas pela "identidade" são reais. Mas, outra vez, elas sugerem a importância da escolha em adotar uma identidade que possa ajudar um indivíduo a negociar os riscos da vida diária.

Sexualidade e política

Os debates atuais

A preocupação com a sexualidade tem estado no centro das preocupações ocidentais desde antes do surgimento do Cristianismo. E isso tem sido um elemento-chave do debate político na maior parte dos dois últimos séculos. Mais recentemente, tornou-se um fator muito importante na redefinição das linhas da luta política associada com o crescimento da Nova Direita nos Estados Unidos e na Grã-Bretanha. Parece que para muitas pessoas a luta pelo futuro da sociedade deve ser travada no terreno da sexualidade contemporânea.

Tem-se argumentado que essa intensa preocupação com o erótico surgiu de um crescente sentimento de crise sobre a sexualidade. No seu centro está uma crise nas relações entre os sexos, relações que têm sido profundamente desestabilizadas pela rápida mudança social e pelo impacto do feminismo, com suas extensas críticas aos padrões da dominação masculina e da subordinação feminina. Isso, por sua vez, alimenta uma crise sobre o sentido da sexualidade em nossa cultura, sobre o lugar que damos ao sexo em nossas vidas e em nossos relacionamentos, sobre a identidade e o prazer, a obrigação e a responsabilidade, e sobre a liberdade de escolha. Muitos dos pontos fixos pelos quais nossa vida sexual foi organizada têm sido radicalmente questionados durante o último século. Mas não parecemos bastante seguros sobre o que pôr em seu lugar. Uma disposição crescente para reconhecer a enorme diversidade de crenças e comportamentos sexuais apenas acirrou o debate a respeito do modo como lidar com isso na política social e na prática pessoal.

A crise sobre o(s) significado(s) da sexualidade tem, então, acentuado o problema sobre como devemos regulá-la e controlá-la. Aquilo que acreditamos que o sexo é, ou o que ele deveria ser, estrutura nossa resposta a essa questão. É difícil separar os significados particulares que damos à sexualidade das formas de controle que defendemos. Se consideramos o sexo como perigoso, perturbador e fundamentalmente antissocial, então estaremos mais dispostos a adotar posições morais que propõem um controle autoritário e rígido. A isso eu chamo de abordagem *absolutista*. Se, por outro lado, acreditamos que o desejo sexual é fundamentalmente benigno, vitalizante e liberador, estaremos mais dispostos a adotar um conjunto de valores flexíveis e talvez radicais, a apoiar a posição libertária. Em algum ponto entre essas duas abordagens podemos encontrar uma terceira, que pode estar menos segura em decidir se o sexo é bom ou ruim. Ela está convencida, entretanto, das desvantagens tanto do autoritarismo moral quanto do excesso. Esta é a posição liberal. Essas três estratégias de regulação têm estado presentes em nossa cultura por longo tempo.

Elas ainda fornecem, eu sugiro, o quadro de referência para os debates atuais sobre a moralidade sexual.

Historicamente, somos herdeiros da tradição absolutista. Ela supõe que as forças perturbadoras do sexo podem ser controladas apenas por uma moralidade muito cristalinamente definida, uma moralidade inscrita em instituições sociais: o casamento, a heterossexualidade, a vida familiar e a monogamia. Embora tenha suas raízes na tradição religiosa judaico-cristã, o absolutismo está agora muito mais amplamente enraizado. Sabemos que um código moral essencialmente autoritário dominou a regulação da sexualidade até os anos 1960.

A melhor maneira de ver a posição libertária é a de considerá-la uma tendência de oposição, cuja tarefa tem sido a de expor as hipocrisias da ordem dominante em nome de uma maior liberdade sexual. Sua política tem sido parte importante de vários movimentos políticos radicais durante os últimos 150 anos. Do ponto de vista da análise que estamos seguindo, porém, talvez a característica mais interessante do libertarismo seja sua afinidade estrutural com a abordagem absolutista: ambas pressupõem a força da sexualidade e tomam como dado seu efeito perturbador. A partir disso elas traçam, porém, conclusões fundamentalmente divergentes.

Na prática, a regulação da sexualidade na geração passada foi dominada por várias formas de tradição *liberal*. O dever da lei era regular a esfera pública e, em particular, manter a decência pública. Havia limites, entretanto, à obrigação da lei de controlar a esfera privada, a arena tradicional da moralidade pessoal. As igrejas poderiam se esforçar para dizer às pessoas o que fazer no privado; não era tarefa do

Estado tentar fazer o mesmo. O Estado, no entanto, tinha pouco espaço para fazer cumprir os padrões privados, exceto (uma exceção de grande importância) quando houvesse uma ameaça de dano às outras pessoas. Nessa abordagem, havia a suposição implícita de que a sociedade não era mais governada – se é que alguma vez o fora – por um consenso moral. A lei deveria, então, limitar-se a manter os padrões comuns de decência pública.

É importante notar, porém, que o argumento de que a lei deveria ser cautelosa sobre a intervenção na vida privada, sobre a imposição de um único padrão moral, não levou à crença de que não fosse necessário nenhum controle da sexualidade. As reformas liberais dos anos 1960 não envolveram um endosso positivo à homossexualidade, ao aborto, ao divórcio nem às representações sexuais explícitas na literatura, no cinema, no teatro. Precisamente do mesmo modo que não tinha certeza sobre os méritos da imposição legal numa sociedade complexa, a abordagem liberal também estava indecisa sobre os méritos das atividades para as quais dirigiu sua atenção. O principal propósito das reformas foi aliviar a carga de leis crescentemente inoperantes, enquanto mantinha a possibilidade de uma forma mais aceitável de regulação moral: aquilo que Stuart Hall (1980) chamou de uma "dupla taxonomia" de liberdade e controle.

Estou argumentando que as reformas liberais dos anos 1960 foram tentativas de chegar a um acordo a respeito da mudança social e de estabelecer uma forma mais efetiva de regulação social. Não é assim, entretanto, que elas têm sido vistas. Eis aqui, por exemplo, a visão de um comentarista conservador, Ronald Butt, em relação ao que se tornou conhecido como "permissividade". Ele sugeria que a sua essência era

> [...] a permissividade em uma área social estritamente limitada (isto é, no sexo) acoplada com a imposição da estrita obediência às novas normas prescritas pela ortodoxia liberal em uma outra. Em alguns assuntos, dava-se um certificado de licença individual, o qual desencadeava um ataque sem precedentes sobre os antigos padrões de comportamento e responsabilidade pessoal comumente adotados (Butt, 1985).

O ataque à permissividade como uma tentativa de estabelecer uma nova norma foi central para a mobilização conservadora acerca de questões sexuais nos anos 1970 e 1980. Ele se focalizou, particularmente, naquilo que essa mobilização vê como várias mudanças significativas:

– a ameaça à família;

– o questionamento aos papéis sexuais, particularmente aquele feito pelo feminismo;

– o ataque à normalidade heterossexual, particularmente através das tentativas dos movimentos gay e lésbico para alcançar a completa igualdade para a homossexualidade;

– a ameaça aos valores colocada por uma educação sexual mais liberal, a qual era vista como induzindo as crianças a aceitar comportamentos sexuais até então inaceitáveis;

– todos esses medos eram reforçados pela emergência de uma importante crise da saúde, associada com o HIV e a AIDS, que eram pensados como símbolos dessa crise.

Pode-se ver que todas essas preocupações estão relacionadas a uma quantidade de questões centrais, que têm estado presentes ao longo da história da sexualidade moderna: questões relacionadas à família, à posição relativa de homens e mulheres, à diversidade sexual, a filhos. Essas permanecem as questões em torno das quais a história da sexualidade ainda gira.

De fato, há uma evidência cada vez maior de que as distinções entre vida pública e privada talvez não sejam suficientemente sutis para lidar com algumas das questões sexuais que agora estão em evidência. Se tomamos uma questão tal como a violência sexual contra crianças, torna-se claro que a necessidade de intervir para sustar a violência pode ser encarada como tendo precedência sobre qualquer respeito pela inviolabilidade da vida privada. Aquilo que consideramos como legitimamente permitido no privado sempre está controlado por valores maiores sobre o tipo de sociedade que queremos ver. Esses valores, eu argumentaria, estão atualmente num período de grande fluxo e mudança. Essa é a razão pela qual questões tais como a pornografia, que têm a ver com o impacto público do gosto e da fantasia privados, tornam-se tão controversas.

O futuro da sexualidade

Apesar do contra-ataque contra a "permissividade", há claros sinais de que atitudes menos autoritárias em relação à sexualidade continuam a crescer. O quadro de referência para isso é dado por uma profunda mudança nas relações familiares, a qual tem dois aspectos principais. O primeiro é uma mudança crítica nas atitudes em relação ao casamento e à família. A maioria das pessoas ainda se casa, e essa característica-chave da heterossexualidade institucionalizada não parece estar ameaçada. Mas, em uma considerável medida, a ideia de que o casamento é para toda a vida parece ter sido abalada. Um terço dos casamentos agora terminam em divórcio, assim como uma alta percentagem de segundos casamentos. O fato de que as pessoas se casam de novo tão entusiasticamente sublinha a importância dada aos laços formais legais. Mas, o que é ainda mais importante, parece que, ao tentar outra vez, há um desejo de, desta vez, acertar.

Isso pode estar relacionado à crença de que a intimidade doméstica é de importância fundamental como base para a vida social. "A sociedade moderna deve ser distinguida das antigas formações sociais", argumentou Niklas Luhmann, "pelo fato de que se tornou mais elaborada em dois aspectos: ela garante mais oportunidades tanto para relações impessoais quanto para relações pessoais mais intensas" (1986, p. 12). O casamento permanece o foco dominante para as últimas, como é sugerido pela persistente desaprovação pública das relações extramaritais e pela aceitação de relações sexuais pré-maritais desde que elas sejam estáveis, como relações semelhantes a um casamento. Mas isso é acompanhado por um forte sentimento de que o casamento moderno tem de ser trabalhado, e se algo der errado deve-se tentar novamente.

A segunda característica sobre as atitudes em relação à família que merece atenção é a crescente percepção de que há muitos tipos diferentes de família. As famílias mudam ao longo dos ciclos de vida de seus membros. O que é mais importante, entretanto, é que, por razões históricas e culturais, diferentes formas de vida familiar têm se desenvolvido, e o termo "família" é agora muitas vezes usado para descrever arranjos domésticos que são bastante diferentes daquela que era, num dado momento, a "norma". Os melhores exemplos disso são fornecidos pela expressão "família de pai solteiro" ou "de mãe solteira" e o gradual desaparecimento do estigma da ilegitimidade.

Paralelamente a essas mudanças, existe a aceitação generalizada do controle da natalidade e o apoio a leis de aborto liberais, sublinhando, ambos, uma crença geral de que a atividade sexual deveria envolver um alto grau de escolha, especialmente para as mulheres.

Há, entretanto, uma exceção de grande importância a essa gradual liberalização e isso se dá nas atitudes em relação à homossexualidade. Parece haver agora uma aceitação geral de que as relações homossexuais não deveriam ser sujeitas a leis punitivas, mas sua legalidade ainda está sujeita a limites rigorosos. Não há aceitação geral das relações homossexuais de forma a colocá-las numa situação de igualdade com as heterossexuais (Weeks, 1989). O governo britânico chegou a aprovar uma legislação, em 1988, para proibir a promoção da homossexualidade como uma "pretensa relação familiar". A expressão era nova e, como todas as inovações na linguagem da sexualidade, era uma tentativa de lidar com uma realidade emergente: nesse momento, as reivindicações de lésbicas e homens gays de que suas escolhas sexuais não se encontravam em igualdade com as dos heterossexuais.

Claramente, o pano de fundo disso, bem como das atitudes hesitantes do público em relação à homossexualidade em geral, era a crise causada pela emergência do HIV e da AIDS como uma ameaça de grande importância à saúde. O fato de que as primeiras pessoas no mundo ocidental identificadas como portadoras de AIDS fossem homens gays marcou profundamente as respostas à crise da saúde, levando a uma estigmatização geral das pessoas com a síndrome. A AIDS serviu para cristalizar um conjunto de ansiedades sobre mudanças no comportamento sexual, as quais, desde 1960, se focalizavam no crescimento de uma consciência gay autoafirmativa. Essas ansiedades pareciam, por sua vez, ter sido parte da ansiedade social gerada por modificações mais amplas na cultura das sociedades ocidentais, causadas por uma crescente diversidade social. Da mesma forma que os homens gays, especialmente nos Estados Unidos, as pessoas negras eram vistas como uma fonte potencial de "poluição" – elas também estavam fortemente ligadas ao novo vírus. Tanto a diversidade sexual quanto a racial eram vistas como uma ameaça aos valores hegemônicos das sociedades modernas.

O que estamos vendo é um reconhecimento crescente dos *fatos* da diversidade social e sexual. Até o momento, entretanto, tem sido apenas num grau limitado que esse reconhecimento tem se transformado numa aceitação positiva da diversidade e do pluralismo moral. Ao contrário, como temos visto, a diversidade e a sempre crescente complexidade social que lhe dá origem provocam agudas ansiedades, as quais fornecem a base de sustentação para grupos ligados ao surgimento renovado de valores mais absolutistas. Uma posição mais pluralista, porém, pareceria estar mais de acordo com a complexidade e a variedade que pode ser observada na história da sexualidade tal como a descrevemos aqui. Parece também provável que nos próximos anos os desafios da diversidade sexual, ao invés de diminuir, vão crescer.

Mas a questão da sexualidade permanecerá central para os debates sociais e morais? Rosalind Coward (1989) sugeriu que, na medida em que nós nos aproximamos do fim do século XX, "o corpo", seu condicionamento físico, sua saúde e seu bem-estar, particularmente no despertar da crise da AIDS, está deslocando uma preocupação com "o sexo", no sentido tradicional, como foco de preocupação social. Uma questão final que poderíamos nos fazer é se estamos começando a ver o fim daquilo que Foucault chamou de "regime de sexualidade". O trono do "Rei Sexo" está começando a balançar? E, se isso está acontecendo, qual é o seu significado?

Tudo o que aprendemos sobre a história da sexualidade nos diz que a organização social da sexualidade nunca é fixa ou estável. Ela é modelada sob circunstâncias históricas complexas. Na medida em que entramos no período conhecido como "pós-modernidade", é provável que vejamos uma nova e radical mudança nos modos como nos relacionamos com nossos corpos e com suas necessidades sexuais. O desafio será compreender, de forma mais efetiva do que no período da modernidade, os processos que estão em ação nesse campo.

Referências

AMOS, V. e PARMAR, P. "Challenging imperial feminism". *Feminist review*, n.17, 1984. p.3-19.

BUTT, R. "Lloyd George knew his followers". *The Times*, 19 de setembro, 1985.

COWARD, R. *Patriarchal precedents: sexuality and social relations.* Londres: Routledge & Kegan Paul, 1983.

COWARD, R. *The whole truth: the myth of alternative medicine.* Londres: Faber, 1989.

DAVIDOFF, L. "Class and gender in Victorian England". In J. L. Newton et al. (orgs), *Sex and class in women's history*. Londres: Routledge, 1983.

ELLIS, H. *The psychology of sex*. Londres: William Heinemann, 1946.

ERIKSON, E. *Identity: youth and crisis.* Londres: Faber and Faber, 1968.

FADERMAN, L. *Surpassing the love of men*. Londres: Junction Books, 1980.

FOUCAULT, M. *Vigiar e punir*. Petrópolis: Vozes, 1977.

FOUCAULT, M. *A história da sexualidade. v. 1: A vontade de saber*. 11ª ed. Rio de Janeiro: Graal, 1993.

FOUCAULT, M. "Prefácio". *In Herculine Barbin, O diário de um hermafrotida*. Rio de Janeiro: Francisco Alves, 1982.

GAGNON, J. e SIMON, W. *Sexual conduct*. Londres: Hutchinson, 1973.

GOFFMAN, E. *Stigma. Notes on the management of spoiled identity*. Harmondsworth: Penguin, 1968.

HALL, S. "Reformism and the legislation of consent". In J. Clarke et al. (orgs.), *Permissiveness and control: the fate of the sixties legislation*. Londres: Macmillan, 1980.

HOME OFFICE. *Report of the committee on homosexual offences and prostitution*. Command 247. Londres: HMSO, 1957.

JACKSON, M. "'Facts of life' or the eroticisation of women's oppression? Sexology and the social construction of heterosexuality". In P. Caplan (org.), *The cultural construction of sexuality*. Londres: Tavistock, 1987.

KINSEY, A. et al. *Sexual behaviour in the human male*. Filadélfia e Londres: W. B. Saunders, 1948.

KINSEY, A. et al. *Sexual behaviour in the human female*. Filadélfia e Londres: W. B. Saunders, 1953.

KRAFFT-EBING, R. *Psychopathia sexualis*. Nova York: Physicians and Surgeons Book Company, 1931.

LAQUEUR, T. *Making sex: body and gender from the Greeks to Freud*. Londres: Harvard University Press, 1990.

LUHMANN, N. *Love as passion*. Cambridge: Polity Press, 1986.

McLAREN, A. *Birth control in nineteenth century England*. Londres: Croom Helm, 1978.

PLUMMER, K. (org.). *The making of the modern homosexual*. Londres: Hutchinson, 1981a.

PLUMMER, K. "Going gay: identities, life cycles, and lifestyles in the male gay world." In: J. Hart e D. Richardson (orgs.), *The theory and practice of homosexuality*. Londres: Routledge, 1981b.

RICH, A. "Compulsory heterosexuality and lesbian existence". In A. Snitow et al. (orgs.), *Desire: the politics of sexuality*. Londres: Virago, 1984.

SONTAG, S. *AIDS and its metaphors*. Londres: Allen Lane, 1989.

TRUMBACH, R. "Gender and homosexual roles in modern western culture: the 18th and 19th centuries compared". In A. van Kooten Niekerk e T. van der Meer (orgs.), *Homosexuality, which homosexuality?* Londres: GMP Publishers, 1989.

TURNER, B.S. *The body and society*. Oxford: Basil Blackwell, 1984.

VANCE, C. "Pleasure and danger: towards a politics of sexuality". In C. Vance (org.), *Pleasure and danger: exploring female sexuality*. Londres: Routledge & Kegan Paul, 1984.

VANCE, C. "Social construction theory: problems in the history of sexuality". In A. van Kooten Niekerk e T. van der Meer (orgs.), *Homosexuality, which homosexuality?* Londres: GMP Publishers, 1989. (VANCE Carole S. "A antropologia redescobre a sexualidade: um comentário teórico". *Physis*. Revista de saúde coletiva 5(1). p. 7-31).

VICINUS, M. "They wonder to which sex I belong: The historical roots of the modern lesbian identity". In A. van Kooten Niekerk e T. van der Meer (orgs.), *Homosexuality, which homosexuality?* Londres: GMP Publishers, 1989.

WALKOWITZ, J.R. *Prostitution and victorian society: women, class and the state*. Cambridge: Cambridge University Press, 1980.

WEEKS, J. *Sexuality and its discontents: meanings, myths and modern sexualities*. Londres: Routledge & Kegan Paul, 1985.

WEEKS, J. *Sex, politics and society: the regulation of sexuality since 1800*. 2ª ed. Harlow: Longman, 1989.

WEEKS, J. *Coming out: homosexual politics in britain from the nineteenth century to the present*. 2ª ed. Londres: Quartet, 1990.

Curiosidade, sexualidade e currículo

Deborah Britzman

O que acontece com a sexualidade quando professoras e professores que trabalham no currículo da escola começam a discutir seus significados? Será que a sexualidade muda a maneira como a professora e o professor devem ensinar? Ou será que a sexualidade deveria ser ensinada exatamente da mesma forma que qualquer outra matéria? Quando os professores pensam sobre a sexualidade, o que é que eles pensam? Que tipo de conhecimento poderia ser útil para seu pensamento? Existe uma posição particular que se deveria assumir quando se trabalha com o conhecimento da sexualidade? Quais são as relações entre nosso conteúdo pedagógico e as interações que temos com os alunos e as alunas?

Durante a Conferência sobre HIV/AIDS, realizada em Genebra, em 1998, Robert Bastien, um pesquisador de Montreal, apresentou um estudo sobre essas questões. Seu estudo tinha como foco a abordagem pedagógica seguida por docentes do ensino médio quando eles e elas "ensinam" sobre HIV/AIDS. Nós sabemos que uma das direções da educação sexual hoje sugere que se discutam questões relacionadas à transmissão do vírus, bem como estratégias de prevenção. O estudo de Bastien, entretanto, perturba um pouco essa conhecida orientação, sugerindo outra forma de se pensar a sexualidade no currículo. Os estudantes, afirma ele, "não têm, racionalmente, outra escolha, ao discutir a questão da AIDS e do HIV com seus professores, que não a de darem as respostas esperadas, em vez de se envolverem num diálogo franco, porque o ensino está, em geral, ligado a alguma forma de avaliação". A cultura da escola faz com que respostas estáveis sejam esperadas e que o ensino de fatos seja mais importante do que a compreensão de questões íntimas. Além disso, nessa cultura, modos autoritários de interação social impedem a possibilidade de novas questões e não estimulam o desenvolvimento de uma curiosidade que possa levar professores e estudantes a direções que poderiam se mostrar surpreendentes. Tudo isso faz com que as questões da sexualidade sejam relegadas ao espaço das respostas certas ou erradas.

Num contexto desses, as discussões morrem, todo mundo começa a olhar para o relógio e os/as estudantes saem da aula sem ter obtido qualquer compreensão sobre suas preocupações, sobre seus desejos, sobre relações sexuais. Os/as estudantes tendem a esquecer qualquer aula que seja vista como algo que tenha a ver apenas com a autoridade da escola e com a autoridade do professor. A pesquisa de Bastien revela uma estranha contradição. Há, claramente, como ele relata, aulas nas quais se toca em questões de sexualidade. Mas a forma como isso é feito impede qualquer compreensão genuína do alcance e das possibilidades da sexualidade humana. Isso fica evidente na forma como a discussão é organizada; na forma como o conhecimento é concebido apenas como a expressão de respostas certas ou erradas e, portanto, apenas como o conhecimento de fatos; na forma como docentes e estudantes parecem esconder suas próprias questões e interesses com a justificativa de que têm de cumprir a matéria determinada pelo currículo oficial.

A pesquisa de Bastien, entretanto, também nos dá alguma esperança, pois ele também encontrou professoras e professores dispostos a experimentar. Novas abordagens tais como o uso de testemunhos, do teatro e, de forma mais importante, de discussões do tipo mesa-redonda, mostraram-se como as mais eficazes na tarefa de ajudar os/as estudantes a perceberem a relevância do conhecimento para suas próprias vidas e para o cuidado de si.

Discutirei, ao longo deste ensaio, as relações entre curiosidade, liberdade e sexualidade. Discutirei algumas das coisas que impedem o desenvolvimento de uma pedagogia da sexualidade que seja interessante e estimulante. De forma mais geral, existe uma relação direta entre a liberdade para explorar novas ideias e uma pedagogia significativa. Mas, como veremos, existem muitos obstáculos, tanto nas mentes das professoras, quanto na estrutura da escola, que impedem uma abordagem cuidadosa e ética da sexualidade na educação.

Existem outras razões pelas quais é tão difícil falar sobre a sexualidade na escola? Eve Sedgwick (1990) começa seu estudo, *Epistemology of the closet*,[1] com a descrição de uma estratégia que ela chama de "arriscar o óbvio" (p. 22). A simplicidade dessa expressão é enganadora, porque quando se trata da linguagem do sexo (e o "armário" [*closet*] diz respeito, afinal, àquele curioso referente, àquele "segredo

[1] Literalmente, "Epistemologia do armário". O título desse livro faz referência à expressão "to get out of the closet" que, literalmente, significa "sair do armário". A expressão é utilizada para se referir à decisão de pessoas homossexuais de assumirem abertamente sua homossexualidade. Em português, diríamos, "deixar de ser enrustido" (N.T.).

aberto" do sexo), aquilo que é óbvio para algumas pessoas torna-se, para outras, algo a ser arriscado. Mesmo quando tentamos falar sobre sexo, existe uma estranha contradição entre a própria ambiguidade da linguagem e a insistência dominante na estabilidade do significado das práticas sexuais. Cindy Patton (1991, p. 374) ironicamente afirma: "...a linguagem do sexo é tão imprecisa, tão polivalente, que é 'difícil' saber quando estamos falando sobre sexo e quando estamos falando sobre negócios ou política ou outras questões importantes [como educação]". Se a linguagem do sexo é, por definição, imprecisa, de forma tal que é difícil até mesmo encontrar as palavras adequadas para descrever o que queremos dizer quando o que queremos dizer é discutir a sexualidade, não deveriam as nossas discussões, de alguma forma, concentrar-se na análise dessa questão, isto é, na questão da disjunção entre nossa linguagem e aquilo que a sexualidade significa?

Quando pensamos em tudo aquilo a que o sexo pode se referir, quando pensamos que mesmo quando não estamos falando de sexo diretamente, ainda assim conseguimos produzir, de forma indireta, significados eróticos, esbarramos num curioso limite: a insistência dominante na estabilidade dos corpos, no corpo como um fato e na transmissão de informações óbvias. Essa insistência tem mais a ver com a fantasia que supõe que os corpos dizem o que eles querem dizer e querem dizer o que eles dizem. No contexto da educação, supõe-se que o corpo normal personifica um significado estável, mesmo quando se admite que aquele significado passe por pequenos ajustes, tal como ocorre nos discursos educacionais baseados na ideia de desenvolvimento. Embora os problemas com esse tipo de conceptualização sejam imensos, o pequeno problema que quero discutir é o seguinte: o que se torna impensável quando a sexualidade é pensada como tendo um lugar apropriado? Esta questão é parcialmente inspirada no livro de Cindy Patton (1994), *Last served? Gendering the HIV pandemic.* Nesse livro, Patton problematiza o lugar da sexualidade, ao focalizar a geopolítica do espaço sexual, isto é, as migrações e os deslocamentos globais, as viagens, e como esses movimentos produzem sexualidade. Quando os corpos se movimentam não é apenas o cenário que muda: há algo mais que muda. Patton desenvolve o importante argumento de que, em espaços diferentes, os viajantes exercem a sexualidade de forma diferente. Suas expressões – "paisagens sexuais" ou "geografias do sexo" – dizem algo sobre a polivalência do corpo do viajante e algo sobre a polivalência dos significados culturais.

Quando pensamos na sexualidade como algo que se opõe a fronteiras, podemos fazer pelo menos três observações iniciais. Em primeiro lugar, pensar as teorias da sexualidade como movimento nos possibilita desenvolver diferentes conceptualizações sobre o que constitui uma pedagogia do sexo seguro, conceptualizações que compreendem a sexualidade como algo dinâmico, como algo integral à forma como cada uma de nós perambula pelo mundo, à forma como vemos os outros e como os outros veem o eu. Eis aqui o que Patton tem a dizer sobre a educação do corpo que viaja:

> Tratamentos realmente abrangentes sobre sexo seguro deveriam ver toda sexualidade como a mistura de culturas sexuais potencialmente diferentes, exigindo que cada uma de nós seja educada – e eduquemos os outros – sobre a variedade de possibilidades para

> se criar identidades e práticas sexuais que possam interromper a epidemia do HIV. (p. 48)

Nessa primeira observação prática, os locais das pedagogias de sexo seguro são ampliados, para abranger o agente de viagem, o barbeiro, o balcão de cosméticos, a verdureira: constituem, todos eles, lugares nos quais os corpos viajam, encontram-se e envolvem-se no cuidado de si. Eles são, também, locais de desejo, de Eros e de encontros acidentais. E, se trouxermos os locais das pedagogias do sexo seguro para o cotidiano, em vez de tratá-los como tópicos especiais, plenos de perigo e carentes de prazer, então, a informação real a ser dada nesses lugares começaria por conceber os corpos como algo que se movimenta entre espaços.

A segunda observação é de outra ordem e diz respeito à ideia de que, se a sexualidade está em movimento, seus movimentos são exteriores à cultura. A sexualidade não segue as regras da cultura, mesmo quando a cultura tenta domesticar a sexualidade. Podemos insistir que a sexualidade é a própria alteridade.

A terceira observação diz respeito a um domínio de outra ordem, descrito por Driscilla Cornell (1995, p. 8) como o "domínio imaginário", aquele espaço psíquico de desejo proliferante, no qual "nosso sentido de liberdade está intimamente ligado à renovação da imaginação, à medida que nos reconciliamos com o que somos e com o que desejamos ser como seres sexuados". Isso traz a viagem de volta ao corpo: não temos que ir muito longe para imaginar algo que seja diferente disso. Na verdade, tudo o que temos que fazer é imaginar. Com esta ideia, podemos começar a ver que a sexualidade permite desenvolver nossa capacidade para a curiosidade. Sem a sexualidade não haveria qualquer curiosidade e sem curiosidade o ser humano não seria capaz de aprender.

Esses movimentos e essas misturas de sexualidades têm a ver com minha discussão porque – mesmo nas pesquisas mais progressistas sobre sexualidade e adolescentes – ainda existe uma preocupação em fixar a geografia da sexualidade às categorias estreitamente construídas da cultura, do gênero, da idade e do bairro. Essas são preocupações que eu gostaria de perturbar, ao me movimentar, num vai e vem, entre a literatura difundida pelos ativistas da AIDS; as teorias da sexualidade de Freud, Foucault e Sedgwick; as versões normativas da educação sexual praticadas na escola; e alguns poucos textos sobre a sexualidade adolescente.

O modelo de educação sexual que tenho em mente está mais próximo da experiência da leitura de livros de ficção e poesia, de ver filmes e do envolvimento em discussões surpreendentes e interessantes, pois quando nos envolvemos em atividades que desafiam nossa imaginação, que nos propiciam questões para refletir e que nos fazem chegar mais perto da indeterminação do eros e da paixão, nós sempre temos algo mais a fazer, algo mais a pensar.

As formas pelas quais nós falamos sobre a sexualidade e as formas pelas quais nós tentamos produzir significados a partir dos corpos de outros nos deveriam estimular a fazer novas questões: o que é imaginado quando o sexo é imaginado e o que é imaginado quando aquilo que é eufemisticamente chamado de "educação sexual" é imaginado? Para retornar à formulação de Sedgwick, o que significa "arriscar o óbvio" e colocar o óbvio em risco, quando o inconstante tema do sexo é tão ostensivamente contestado, mascarado, avaliado, narrado, denegado e tomado como sinônimo de nossa identidade? O que significa "arriscar o óbvio" quando as professoras exploram as sexualidades como uma forma de aprender a viver e de cuidado com o próprio eu e com os outros?

Nosso tópico se torna ainda mais complicado quando tentamos mapear a imaginativa geografia do sexo da forma como foi sugerida por minhas observações iniciais, ou quando tentamos ler a sexualidade através de uma teoria favorita, um manual de instrução ou de acordo com as visões dos chamados especialistas. Quando inserida no currículo escolar ou na sala de aula universitária – quando, digamos, a educação, a sociologia, a antropologia colocam sua mão na sexualidade – a linguagem do sexo torna-se uma linguagem didática, explicativa e, portanto, dessexuada. Mais ainda: quando o tópico do sexo é colocado no currículo, nós dificilmente podemos separar seus objetivos e fantasias das considerações históricas de ansiedades, perigos e discursos predatórios que parecem catalogar certos tipos de sexo como inteligíveis, enquanto outros tipos são relegados ao domínio do impensável e do moralmente repreensível. Por trás dessas preocupações estão as ansiedades da própria professora: de não estar preparada para responder as questões das estudantes e de que a aula se dissolva numa luta de poder entre o conhecimento das estudantes e o conhecimento da professora.

Mas mesmo na "versão pensável" da sexualidade, naquela versão em que a sexualidade é vista como um distúrbio relativamente à inocência infantil e à vida cotidiana, as discussões se tornam bastante enfadonhas. As estudantes sabem quando estamos lhes "fazendo sermão" e elas notam que a ansiedade da professora torna-se maior quando ela tenta controlar a discussão. Dessa forma, a conversa sobre sexo torna-se indistinguível daquela estranha economia de afetos que Jonathan Silin (1995), Eve Sedgwick (1990), e Shoshana Felman (1987) chamam de "nossa paixão pela ignorância: o desejo paradoxal de não saber aquilo que já sabemos, o trabalho apaixonado da negação e da denegação".

Para tentar superar essa triste história, na qual nós tentamos evitar o diálogo franco sobre as experiências e as questões da sexualidade, podemos evocar outra vez Eve Sedgwick, que nos oferece alguns "axiomas" bastantes simples e óbvios para se pensar sobre a sexualidade. Seu primeiro axioma diz: "as pessoas são diferentes umas das outras" (p. 23). Embora cada uma de nós seja um ser sexual, os significados que produzimos a partir de nossos próprios corpos – aquilo que cada uma de nós vê como erótico e prazeroso – serão bastante diferentes. Nós não podemos esgotar essas diferenças porque elas são apenas o ponto de partida e nós desenvolvemos essas diferenças durante toda nossa vida. Com esse primeiro ponto, Sedgwick parte não de universais culturais, mas de uma certa curiosidade sobre as ações polimorfas ou da capacidade dos seres humanos para serem inesgotáveis nas suas estratégias de significado, nas suas estratégias sexuais. Eis aqui algumas das outras afirmações que Sedgwick faz sobre a sexualidade:

– Mesmo atos genitais idênticos significam coisas bastante diferentes para pessoas diferentes.

– Para algumas pessoas, a constelação do "sexual" parece dificilmente ir além das fronteiras de atos genitais separados e claramente identificáveis; para outras, ela os envolve frouxamente ou flutua quase independentemente deles.

– Para algumas pessoas, é importante que o sexo esteja inserido em contextos plenos de significado, de narrativa e de conexão com outros aspectos de sua vida; para outras pessoas, isso não é importante; para outras pessoas, nem sequer lhes ocorre que isso poderia ser importante.

– A orientação sexual de algumas pessoas é intensamente marcada por prazeres e histórias autoeróticas – algumas vezes muito mais do que por qualquer aspecto de uma escolha aloerótica de objeto. Para outras, a possibilidade autoerótica parece secundária ou frágil, se é que ela existe (p. 25-26).

Sedgwick está interessada naquele tipo de diferença que "retém o potencial inexplicável para perturbar muitas das formas do pensamento tradicional sobre a sexualidade" (p. 25). Trata-se de um projeto em afinidade com aquilo que George Bataille (1986) chamou de "erotismo", uma certa prática subjetiva que possibilita o questionamento, que possibilita que o eu seja chamado a exercer um papel nesse questionamento. Algo similar orienta esta minha discussão, na qual exploro a disputa entre discursos ambivalentes que tentam ligar o sexo com a educação. A ambivalência está estruturada, tais como as noções normativas de sexualidade descritas por Anna Freud (1966, p. 157), como a "atitude dual dos seres humanos para com a vida sexual – uma aversão constitucional associada a um desejo apaixonado; aquilo que Bleuler chamou de ambivalência". A sexualidade não é o problema: ela é o lugar ao qual os problemas se afixam. Ao mesmo tempo, a sexualidade está também estruturada por um modo de pensamento chamado "curiosidade", um modo de pensamento que recusa a segurança. Nessa concepção, a sexualidade é vista como diferença. Nesta discussão, estou trazendo uma curiosidade psicanalítica para a conceptualização do sexo: nem biologia nem anatomia, nem cultura nem papel social, nem escolha de objeto nem objetivo estão em jogo. O que está em jogo é a fantasia, o Eros e a vicissitude da vida. Será que a pedagogia pode começar com essas surpresas?

Neste ensaio, faço uma revisão de três versões da educação sexual: a versão normal, a versão crítica e aquela versão que ainda não é tolerada. Foi a essa última versão – aquela que não é tolerada – que Sigmund Freud chamou de "nossa original perversidade polimorfa". Com isso, Freud pretendia sugerir que o ser humano produzirá sexualidade a partir de qualquer coisa, que nossa primeira sexualidade, produzida no início da vida, aparece antes que nós possamos compreender e julgar – ou até mesmo colocar em linguagem – os prazeres do corpo. Quando Freud sugeriu que os seres humanos são, no início, bissexuais, aceitando suas atrações masculinas e femininas sem problemas, ele estava descrevendo uma visão da sexualidade que sugere nossa capacidade para encontrar prazer. Nessa visão, a sexualidade é o domínio imaginário; seu "lugar" é todo lugar.

A versão da sexualidade ainda não tolerada (ao menos no currículo escolar) é exercitada, entretanto, nas vidas cotidianas das pessoas e no domínio da cultura mais ampla: na literatura, no filme, na música, na dança, nos esportes, na moda e nas piadas. É, com frequência, difícil distinguir, na literatura pedagógica sobre sexualidade, a versão normal da crítica, porque mesmo a versão crítica não consegue ultrapassar o moralismo e as categorias eugenistas da normalização. Nós podemos encontrar a paixão pela ignorância nas duas versões. E contudo, devemos estar dispostas a fazer uma exploração, a criar a coragem política necessária quando tentamos aproximar o sexo e a educação. Ao pensar sobre o que poderia constituir um par tão estranho, isto é, sexo e educação, nós podemos também levantar questões difíceis, como as seguintes: Pode o sexo ser educado e pode a educação ser sexuada? Como seria a educação sexual se ela se tornasse indistinguível daquilo que Foucault (1988), em uma de suas últimas obras, chamou "o cuidado de si" como prática da liberdade?

Poderia ser essa exploração o que Freud (vol. 7, p. 194) tinha em mente quando em seu próprio estudo inaugural sobre a sexualidade chamou as crianças de "pequenos investigadores do sexo"? Freud observou que as crianças são curiosas a respeito de como produzir prazer a partir de seus corpos. Elas fazem teorias e tentam responder questões existenciais tais como: por que as meninas e os meninos são diferentes? De onde vêm os bebês? Por que os beijos são gostosos? A ideia de que possa haver uma relação entre sexualidade e curiosidade – uma relação sobre a qual Freud insistiu em seu estudo de caso do pequeno Hans – nos permite questionar tanto os limites da sexualidade (naquilo que é eufemisticamente chamado de "educação sexual") quanto seu além: as transgressões, os prazeres e as inexauríveis sensualidades ou, na frase frequentemente citada de Foucault, a capacidade para "produzir prazer com coisas bastante estranhas, com partes bastante estranhas de nossos corpos, em situações bastante incomuns..." (citado em Halperin, 1995, p. 88). A curiosidade que Freud discute é a mesma curiosidade das ciências humanas, que mascaram o poder através de seu conhecimento? E se pudermos constatar uma certa diferença entre os pequenos investigadores do sexo e a ciência social, o que a educação pode, então, aprender com os pequenos investigadores do sexo?

Se o sexo é um tema assim tão instável em seus objetivos, conhecimentos, prazeres e práticas, o que pode, então, ser exatamente dito sobre ele? São suas instáveis qualidades o que tem feito com que os educadores continuem tão dispostos a argumentar a favor e contra o sexo, a vincular o construto do sexo apropriado ao construto da idade apropriada, e a se preocupar sobre qual conhecimento existe em quais corpos em quais circunstâncias? São suas instáveis qualidades o que tem feito com que muitos educadores se preocupem em saber se a educação sexual causa atividade sexual, em saber se as discussões sobre a homossexualidade são o primeiro passo no recrutamento da sexualidade? A educação causa o sexo? Por que os educadores têm sido tão persistentes em sua busca pela origem da sexualidade?

E para tomar de empréstimo a observação de Diana Fuss (1995): se as escolas são pensadas como sendo um lugar de contágio e prevenção sexual, isso significa que os educadores infantis já têm uma ideia da sexualidade em movimento? Essas ansiedades não são novas e sua história parece estar sujeita a estranhas repetições. O exame de uma dessas histórias de como a sexualidade tem sido organizada nas escolas nos possibilita analisar o desenvolvimento da ansiedade educacional sobre o ensino da sexualidade. Além disso, poderemos ser capazes de desenvolver uma compreensão de como a educação sexual tem sido usada para sustentar desigualdades raciais e de gênero, bem como hierarquias sociais. Já em 1895, estavam ocorrendo, nos Estados Unidos, debates sobre se a sexualidade deveria ser colocada no currículo escolar (Hale, 1971), mesmo quando, poderíamos dizer, o sexo já estava lá. No Canadá, os eugenistas abriram as portas da escola para a educação sexual para as pessoas "normais" ao colocarem a vida sexual sob escrutínio público. Por volta de 1910, a educação sexual estava vinculada aos esforços curriculares da escola para aperfeiçoar a linhagem racial branca. A educação sexual iria se tornar indistinguível desses esforços eugenistas do Estado em favor da propagação racial anglo-saxônica branca (McLaren, 1990). Ao fazer um vínculo entre as teorias de degeneração racial e a degeneração sexual, nossos educadores eugenistas puderam, pois, passar de uma preocupação com a definição do desvio para uma preocupação com a constituição da normalidade. Os professores não estavam imunes dos efeitos desses discursos sobre a degeneração e eram vistos como também capazes de corromper a juventude. Sob o título "Professores anormais", o texto de Maurice Bigelow, de 1916, chamado Educação sexual, oferece dois tipos de advertências:

> Certos homens ou mulheres neuróticos e histéricos, aos quais falta um treinamento fisiológico completo e cujos próprios distúrbios sexuais os têm levado a devorar de forma omnívora e pouco científica a literatura psicopatológica sobre sexo, de autores tais como Havelock Elis, Krafft-Ebing e Freud, são provavelmente professores pouco seguros em termos de higiene sexual (p. 116).

A educação sexual tornou-se, pois, o lugar para trabalhar sobre os corpos das crianças, dos adolescentes e das professoras. A mudança para uma pedagogia de produção da normalidade e a ideia de que a normalidade era um efeito da pedagogia apropriada e não um estado *a priori* tornou-se, essencialmente, a base para o movimento higienista social chamado "educação sexual". Mas como Bigelow, talvez de forma inconsciente, nos faz lembrar, a normalidade é muito facilmente perturbada se for deixada livre e até mesmo ler um livro pode ser perigoso.

Para continuar nossa pequena cronologia de consternação, podemos voltar ao que poderia agora ser lido como um dos primeiros diários (com data por volta de 1863) escrito por uma professora estudante, a hermafrodita Alexina Herculine Barbin. O gênero de Barbin era ambíguo, às vezes vivendo como mulher, outras vezes sendo forçada a viver como homem. Há um momento em que o gênero de Barbin não importa e, no diário, Barbin evoca esse tempo como um tempo de felicidade, no qual o que importava não era quem Barbin era, mas o que Barbin fazia na vida. Barbin era uma professora popular, relacionando-se de forma admirável com qualquer pessoa com a qual ela se encontrasse. Chegou, então, o momento em que a questão "precisamos verdadeiramente de um verdadeiro sexo?" tornou-se respondida com um enfático "sim!" (Foucault, 1982, p. 1). Nossa professora estudante traça, então, tristemente, uma melancólica cronologia que exige que a vida seja separada em "antes do sexo e depois do sexo". Barbin lamenta o que foi perdido quando o que se perde é a liberdade de ser sem um sexo definitivo, ou, na frase de Foucault, "o limbo feliz de uma não identidade" (p. 6).

Mas as leitoras contemporâneas podem ter dificuldade em imaginar uma identidade fluida que não precisa de um gênero estável, e podem até mesmo achar a linguagem certa, os pronomes certos para descrever quem era Barbin. Não existem pronomes para um limbo feliz. Trinta anos mais tarde, Sigmund Freud inventou o termo "perversidade polimorfa" para, de alguma forma, assinalar o potencial do ser humano para uma sexualidade fluida. Em seu primeiro ensaio sobre a sexualidade, publicado em 1905, Freud observou que o que caracteriza a literatura do desenvolvimento psicológico é a contradição entre a escassez de materiais sobre a sexualidade das crianças e a proliferação da interdição sobre seus corpos. Com a expressão "escassez de materiais", Freud quer sugerir que embora a sexualidade seja discutida, o problema é a forma como as discussões sobre o sexo tornaram-se ancoradas em discursos de patologia e eugenia racial. Contra essa eugenia da sexualidade, Freud oferece uma contraversão e um movimento contra a psicologia. A sexualidade, argumenta Freud, começa no início da vida e é, portanto, indistinguível de qualquer outra experiência, porque o corpo é tudo. Além disso, ele insiste que o instinto sexual é, em sua origem, polimorficamente perverso e, portanto, não está organizado pela escolha do objeto ou pelo sexo "verdadeiro". E, ao responder à questão de por que tantas proibições são afixadas ao corpo da criança, Freud atribui a intolerância do adulto a respeito da sexualidade das crianças ao esquecimento por parte do adulto de sua própria sexualidade infantil. Essa dinâmica é chamada de "amnésia infantil", uma categoria bem curiosa que sugere que as memórias iniciais, infantis, do erotismo são enterradas e, portanto, mantidas sob repressão. Isso talvez possa explicar a ambivalência propiciada por Freud ao chamar o inconsciente de "id".

Na psicanálise, reprimir não significa exatamente jogar alguma coisa fora. A repressão está mais próxima de nossa paixão pela ignorância do que de nossa paixão pelo conhecimento. No discurso psicanalítico, a repressão é definida como o ato de afastar-se, o ato de ignorar e esquecer uma ideia ou a tentativa para separar o afeto da ideia. O movimento da repressão é dinâmico e produtivo, um movimento de volta e retorno. O que torna o retorno do reprimido tão estranho é que as novas ideias se tornam afixadas a velhos afetos. Por causa do processo de substituição, deslocamento e condensação, entretanto, o novo conteúdo ainda contém o núcleo da velha dinâmica ou do velho afeto. A repressão é, assim, uma resposta à demanda do instinto. Esta concepção da repressão pode permitir que os educadores explorem suas próprias teorias de aprendizagem e desenvolvam uma curiosidade para com aquilo que não é aprendido e que compreendam como a paixão pela ignorância se defende contra um novo conhecimento.

Mas, mais tipicamente, a educação, tal como é organizada pelos adultos, paga um tributo a esse enterramento, a esse esquecimento dessas "irrupções do id" (Freud, 1966, p. 17) ou, de novo, essa produção da "paixão pela ignorância". Ao pensar sobre esta primeira forma de esquecimento, no qual a sexualidade das crianças se insinua entre as fendas da lembrança adulta, Freud localiza uma segunda estrutura de esquecimento: a educação. Isto possibilita a ideia psicanalítica de que as próprias bases da educação exigem a denegação de formas particulares de prazer instintivo. Mas é mais do que isso. Ao imaginar que a sexualidade está ligada ao desenvolvimento normal, ao insistir, na verdade, que o sexo seja inserido no discurso do desenvolvimento, o custo desse desejo de que o sexo seja uma parte estável e previsível de nossa identidade é o esquecimento necessário de que a perversidade é a base da possibilidade da própria sexualidade. Aqui, minha definição de perversidade é simplesmente "prazer sem utilidade". Mas na insistência de que o prazer esteja confinado à utilidade, os aparatos da educação, da lei e da medicina se tornam preocupados em confinar a sexualidade aos limites da escolha apropriada de objeto e ao sexo reprodutivo marital. Nos modelos normativos de educação, ligados à ideia de desenvolvimento, a educação sexual se torna preocupada em colocar a especificação do objeto apropriado como um problema e em privilegiar aqueles sujeitos que devem ser vistos como "normais".

Anna Freud (1979) iria continuar a crítica psicanalítica da educação. Suas conferências às professoras sugerem três formas pelas quais a psicanálise poderia ser útil à educação: ao possibilitar uma crítica aos métodos educacionais; ao ampliar o conhecimento que as professoras têm das vicissitudes humanas; e, nas palavras de Anna Freud, ao "tentar reparar as injúrias que são infligidas à criança durante o processo da educação" (p. 106). Anna Freud é inclusive mais específica: "...dever-se-ia dizer que a psicanálise, onde quer que tenha entrado em contato com a pedagogia, tem sempre expressado o desejo para limitar a educação" (p. 96). Isto porque a educação, no sentido psicanalítico, funciona como o superego. A educação tenta instalar a culpa relativamente à sexualidade e essa culpa está em tensão com a produção do prazer.

Nessa prolongada batalha, nós ficamos com outra contradição estranha: se a educação exige a renúncia do instinto, como é até mesmo possível uma educação sexual? Ou, qual pode ser o objetivo da educação sexual se o objeto da educação está na renúncia do sexo? Mas Anna Freud (1966) oferece um outro tipo de conselho em uma obra posterior, um conselho talvez mais modesto que urgente. Ele tem a ver com sua distinção entre psicologia, vista como um discurso que estrutura a educação, e psicanálise, vista como um método que trabalha contra a progressão do desenvolvimento. Relembremos que, para a psicanálise, a sexualidade não começa com a puberdade. Ela começa no início da vida, cedo demais para que a criança compreenda mas não cedo demais para a sensação de prazer. E as crianças, eternamente curiosas sobre sua própria alteridade, produzem suas próprias teorias da sexualidade. Embora a curiosidade sexual seja, em termos psicanalíticos, "a manifestação mais clara da atividade intelectual da criança", as investigações sexuais das crianças "dificilmente levam a um conhecimento dos verdadeiros fatos da vida sexual adulta" (p. 165). Algo mais é exigido e isso tem a ver com a capacidade da educação para questionar e ampliar a visão que o ego tem do mundo da sexualidade.

Entretanto, para analisar este tipo de ambivalência, na qual os adultos realmente encontram as investigações sexuais da criança mas podem não saber como responder, nós devemos nos voltar para a história. Pois a forma como o adulto responde não é original; em vez disso, os adultos se baseiam em imperativos culturais, em suas próprias ansiedades e são afetados por discursos culturais mais amplos, justamente aqueles discursos que se confundem com a história da sexualidade. Michel Foucault (1990) nos proporciona uma outra forma de pensarmos sobre o sexo, uma forma que enfatiza sua invenção ou "construção", opondo-se, assim, à asserção normalizante de que o sexo tem uma natureza verdadeira ou essencial. Foucault chama essa última concepção de "hipótese repressiva". Para ele, a ideia de que houve um tempo em que o sexo era reprimido e que agora é tempo de descobrir o segredo do sexo, de deixar que sua verdadeira natureza fale, é uma fantasia histórica. A hipótese repressiva está na base de modelos críticos de educação sexual, modelos que vinculam o sexo com emancipação, libertação e domínio do próprio destino. Foucault argumenta que o sexo não é o oposto da repressão: como mito, desejo e representação, o sexo tem uma historicidade. Esta historicidade diz respeito à história de como o sexo entrou no discurso, e, portanto, de como o sexo se tornou vinculado à dinâmica do aparato "saber/poder/prazer".

Para Foucault, o exame da genealogia do sexo leva não apenas à educação, mas a todo o aparato de produção de conhecimento acadêmico; aos vários movimentos eugenistas e racistas; a categorias aparentemente neutras do Estado, tais como população, demografia, certidões de nascimento; na verdade, ao próprio biopoder. Foucault lista "quatro grandes unidades estratégicas", responsáveis pela formação de mecanismos específicos de saber/poder/prazer: a descrição dos corpos das mulheres como histéricas, a pedagogização do sexo das crianças, a socialização do comportamento procriativo e a psiquiatrização do prazer perverso (1990, p. 105). Nós retornaremos, em seguida, a essas estratégias de poder e ao elenco de personagens que emergem dessas estratégias. Foucault está interessado em saber como as superfícies dos corpos têm sido inscritas por novas formas de inteligibilidade e, portanto, em saber como elas assumiram essas novas formas de inteligibilidade através do funcionamento contraditório do conhecimento moderno, do trabalho e do aparato estatal.

Para Foucault, é provavelmente mais exato falar da história do sexo como um discurso florescente do século XIX. Seus alvos de conhecimento são suas próprias invenções ou uma série de populações imaginadas como problemáticas: "a criança masturbadora", "a mulher histérica", "o pervertido" e "o casal malthusiano" (p. 105). Essas, para Foucault, são as grandes unidades estratégicas do sexo e inauguram a crença agora comum de que o sexo deve também ser equacionado com perigo.

Nesse elenco de personagens afetadas por essas estratégias, o conteúdo de ações não especificadas traduz-se em termos de identidades a serem conhecidas, a serem objetos do saber, exemplos vivos do valor e das estratégias das várias medidas preventivas. Essas identidades tornam-se os pontos de ancoragem e de apoio para as várias formas de racismos e de ordens coloniais. Como isso funciona? De novo, Foucault analisa as estratégias de saber que produzem um tal elenco: em primeiro lugar, estabelece-se um problema. Em seguida, o problema é constituído como patológico. Finalmente, propõe-se uma cura para normalizar a patologia. É o que ocorre com aquelas formas de educação sexual que chamei de formas "normais": as crianças devem ser constituídas como uma população-problema que necessita de uma educação ou de uma normalização.

Mas ao mesmo tempo em que os corpos se tornam os alvos dessas novas formas de conhecimento, entra em funcionamento, enfatiza Foucault, uma outra dinâmica, uma dinâmica que talvez nos leve a uma educação sexual crítica. Com a produção dessas novas e conhecidas identidades vêm junto as demandas daqueles grupos assim identificados, demandas que estruturam movimentos sociais atuais tais como o feminismo, os direitos civis de gays e lésbicas, os direitos das crianças e a educação antirracista. Essencialmente, essa proliferante configuração geométrica constitui aquilo que Foucault quer dizer com poder ou "relações multifacetadas de força" (p. 94). O que tornou essas categorias de identidade válidas, naquela época, como agora, foram os florescentes movimentos higienistas sociais, variavelmente chamados de pedagogia, justiça criminal, psicologia, antropologia, medicina e sociologia e os florescentes movimentos de reivindicação de direitos civis, descolonização e autodeterminação. Os aparatos que dão significado ao sexo permitem que o conhecimento moderno ganhe controle do corpo e, naturalmente, que o corpo resista e modifique o conhecimento moderno. E embora a educação sexual crítica comece com as demandas daqueles assim identificados, este modo de educação depende, frequentemente, ainda do ideal eugenista de que certo conhecimento seja afixado a certas identidades.

Foucault nos propicia uma outra forma de pensar sobre a sexualidade: não como desenvolvimento ou identidade, mas como historicidade e relação.

A sexualidade não deve ser pensada como um tipo de dado natural que o poder tenta manter sob controle, ou como um obscuro domínio que o conhecimento tenta gradualmente descobrir. Ela é o nome que pode ser dado a um construto histórico: não uma realidade furtiva que é difícil de apreender, mas uma enorme superfície em forma de rede na qual as estimulações dos corpos, a intensificação dos prazeres, o incitamento ao discurso, a formação de um conhecimento especializado, o reforço de controles e resistências estão vinculados uns aos outros, de acordo com algumas poucas estratégias importantes de saber e poder (p. 105-106).

A sexualidade pode muito bem ser vista tanto como o limite do aparato saber/poder/prazer quanto como seu excesso. Se a sexualidade é historicidade, trata-se de uma historicidade que produz o próprio objeto que Foucault (1983, p. 212) tem em mente, sujeito ao controle de outros e sujeito ao próprio autoconhecimento.

Conceptualizar o sexo como aquela "superfície em forma de rede", entretanto, nos permite considerar as relações específicas tornadas inteligíveis quando o sexo torna-se vinculado com a educação. Nós poderíamos pensar na forma como o sexo torna-se sujeito a questões mais amplas, que organizam os esforços pedagógicos e que cobrem as relações entre crianças e adultos, entre a casa e a escola e entre a identidade e sua representação. Simon Watney (1991) oferece argumentos similares em seu ensaio "*School's out*". Ele nos oferece uma surpreendente inversão da "questão comum que pergunta o que as crianças supostamente querem ou precisam da educação e pergunta, em vez disso, o que os adultos querem ou precisam das crianças, em nome da educação". A questão é boa, eu penso, porque ela exige que os adultos se envolvam na forma como a ansiedade e o desejo adultos também estruturam os imperativos educacionais e o construto do desenvolvimento infantil. Mas algo mais deve ser analisado em nossa exploração e isso tem a ver com os limites do conhecimento. Podemos considerar, ainda, a possibilidade do próprio conhecimento como sendo insuficiente, por causa de nosso envolvimento na pandemia conhecida como AIDS.

É essa possibilidade – a insuficiência do conhecimento – que eu acho que o campo da educação ignora. Este é um argumento bastante difícil, pois se o conhecimento é insuficiente, por que deveríamos, então, até mesmo nos preocupar em ensinar? Mas nós podemos fazer uma questão bastante diferente aqui, uma questão que pode estimular nossa curiosidade. Se o conhecimento for sempre inadequado, se o conhecimento também mascara, de alguma forma, nossa capacidade para a ignorância e se nós devemos, mesmo assim, ter a ilusão do conhecimento para poder perambular pelo mundo, existe uma abordagem do conhecimento que possa nos permitir tolerar suas incertezas, surpresas e transformações? Algumas dessas questões são levantadas no livro de pesquisas organizado por Janice Irving chamado *Culturas sexuais e culturas de adolescentes*. Os diversos capítulos desse livro discutem os efeitos sociais – de exclusão e normalização em termos de uma educação sexual que tem como norma a sexualidade branca, de classe média e heterossexual. O livro também enfatiza um modelo preventivo de educação sexual: prevenção de dano corporal (no qual a educação sexual se torna um conhecimento preventivo de várias infecções sexualmente transmitidas e de prevenção da gravidez precoce); proteção contra homofobia, o racismo e o ceticismo (no qual a educação sexual critica e corrige práticas de subordinação corporal); e prevenção de estereótipos sobre feminilidade, masculinidade, incapacitações físicas (no qual a educação sexual critica representações do corpo). De certa forma, este modelo de prevenção pode ser relevante para todas as partes do currículo escolar, constituindo um tipo de "educação efetiva" – lembrando o conceito de "história efetiva" de Foucault, na qual o propósito do conhecimento consiste em trabalhar contra si mesmo e não em afirmar a ordem das coisas.

O problema inexplicado consiste em saber como imaginar qual conhecimento possibilitará novas práticas do eu quando o conhecimento dominante da sexualidade está tão preso e constituído pelos discursos do pânico moral, pela suposta proteção de crianças inocentes, pelo eugenismo da normalização e pelos perigos das representações explícitas da sexualidade. Se tudo causa sexualidade ou, de forma mais interessante, se qualquer coisa pode produzir a sexualidade e, portanto, tornar a sexualidade perversa, então qual será o sujeito da educação sexual? Muitos dos autores e autoras do livro organizado por Irving analisam a questão de como as identidades adolescentes são organizadas no interior das culturas sexuais. Escrevendo a partir da perspectiva que pode ser frouxamente chamada de teoria pós-estruturalista, a maioria dos autores mantém a necessidade de analisar tanto os adolescentes quanto a cultura como construções sociais. Com isso eles querem sugerir que existe uma relação entre a forma como os adolescentes são falados no discurso e a forma como eles são percebidos e recebidos, desenvolvendo aquele argumento difícil e escorregadio de que as construções ou representações, embora imaginárias e históricas, têm efeito social. Mas ao conceber o fenômeno como uma construção, em oposição a uma coisa preexistente, essa perspectiva parece colocar em jogo tanto a educação quanto seus sujeitos. O que é real na educação, se os/as estudantes e o conhecimento são vistos como construções sociais? Para aquelas pessoas que recusam a teoria do discurso, o debate tende a ficar paralisado entre as asserções contraditórias de que ou há adolescentes ou não há adolescentes. Ou há cultura ou não há cultura. Uma forma diferente de pensar a questão da construção poderia começar com a desconstrução que Foucault faz da hipótese repressiva, pois a hipótese repressiva é um tipo de fortaleza conceitual que preserva a base de distinções tais como as que existem entre inocência e culpa, normalidade e desvio, natureza e cultura.

A hipótese repressiva supõe, no caso dos adolescentes, que houve, uma vez, uma adolescência tranquila ou verdadeira que se tornou, depois, sujeita a todo tipo de preocupações. Primeiramente os adolescentes estavam livres de preocupações, agora eles são descuidados. A hipótese produtiva diria que essas preocupações produzem o que nós chamamos "o adolescente" ou, como escreve Irving, "aquele estágio de vida recentemente inventado por influências econômicas e políticas" (p. 7). Na hipótese produtiva a questão consiste em analisar a forma como o corpo é lido e não em saber se existe um corpo. No caso da cultura, a hipótese repressiva colocaria a cultura como um conjunto de comportamentos, costumes, modos de interpelação anti-históricos e unitários, transmitidos de geração para geração. Esse quadro aparentemente sem falhas apenas torna-se distorcido quando uma cultura sofre interferência a partir do exterior. Nessa hipótese, a cultura é um objeto sagrado, uma ruína sagrada, sem nenhuma falha que lhe seja própria. Além disso, retornar à própria cultura torna-se uma jornada de volta à origem *a priori*. A hipótese produtiva faz uma leitura cheia de suspeitas, colocando a cultura como algo muito mais problemático e como algo que exige – como uma condição prévia para a produção e reconhecimento de seus membros – processos internos de regulação e exclusão. E mesmo esses processos de distinção produziriam novas formas culturais e novos tipos de demandas. Do ponto de vista da hipótese produtiva, a cultura não é, nunca, inocente.

A partir dessa perspectiva, nós podemos, pois, questionar os pontos falhos dos discursos sobre sexo, daqueles discursos que defendem uma forma cultural apropriada e uma idade apropriada para a sexualidade. Pois dizer que esses termos são construídos significa dizer também que há grupos que são alvos dessa construção – grupos que são incluídos ou não na definição daquilo que é considerado apropriado. Este, afinal, é o limite da forma apropriada e onde modelos críticos de educação sexual se tornam indistinguíveis dos modelos normativos. Deveria a educação sexual estar vinculada com qualquer tipo de forma apropriada? O que é apropriado para quem se a cultura tem esse talento teleológico para excluir seus membros com base na propriedade cultural, ou melhor, em critérios de autenticidade? Pode uma noção de forma apropriada tornar-se jamais desvinculada da teoria do desenvolvimento? Ou, para exceder nosso atual limite e talvez começar com o perverso: o que ocorreria se a educação sexual se tornasse um estudo permanente das vicissitudes do saber, do poder e do prazer? Irving assinala algumas dessas tensões quando ela formula a problemática do texto:

> Embora uma pesquisa e uma educação efetivas sobre a sexualidade adolescente só possam partir de uma vigorosa análise cultural, existe alguma complexidade nessas tarefas. Na pesquisa sobre a sexualidade nós devemos negociar a tensão entre generalizações simplistas sobre a cultura e "a anarquia da idiossincrasia sexual", para usar as palavras de Carole Vance (p. 9).

Com a afirmação de Vance, nós voltamos aos axiomas de Sedgwick e à dificuldade de fixar nossos rebeldes temas ou até mesmo de, provisoriamente, arriscar qualquer forma de essencialismo cultural.

Essas são tensões importantes, porque elas apontam para a necessidade de colocar em questão três dinâmicas:

pesquisa, educação e cultura. Essas dinâmicas podem ser vistas como comparáveis às operações do aparato "saber/poder/prazer" descritas por Foucault: análise, problematização e cura. Cada dinâmica ou modo de inteligibilidade tem se tornado, de forma importante, problemático em nosso tempo de AIDS. Como nos ensinam os ativistas da AIDS, a dinâmica da pesquisa, da cultura e da educação tem sido constituída por sua própria paixão pela ignorância e por sua incapacidade de teorizar além da hipótese repressiva. O que está em jogo quando enfrentamos as condições que os jovens e os adultos nos apresentam quando eles moldam suas vidas? E que ocorre se o que está em jogo são os limites de nosso conhecimento?

Aqui, pois, estão as fissuras deste texto e talvez dos esforços educacionais afirmativos feministas antirracistas e gays. Isso tem a ver com uma dependência da representação em seu sentido, talvez, mais ingênuo e antropológico. Pois ainda existe, nessas pedagogias críticas, o pressuposto de que somente certo conhecimento pode ser afixado a certas populações e que o próprio conhecimento pode ser arrebatado de sua própria austeridade e tornar-se um reservatório de informação antropológica sobre atributos culturais. O problema de se adotar uma abordagem antropológica é que a teoria da atribuição está fundamentada num eugenismo do corpo. Muito frequentemente, os modelos baseados na ideia de informação pressupõem, por um lado, uma estabilidade na linguagem e nos corpos e não podem, pois, pensar a geopolítica dos espaços sexuais. Por outro lado, um modelo de educação sexual baseado na ideia de informação exige o pressuposto equivocado de que a informação não será nenhum problema para o aprendiz ou para o professor. O que não se pensa é que toda a aprendizagem é também uma desaprendizagem. O que ainda está por ser feito é uma teoria da aprendizagem que possa tolerar sua própria implicação na paixão pela ignorância e no aparato que Foucault chamou de saber/poder/prazer. Devemos começar a admitir que a paixão pela ignorância estrutura até mesmo a aprendizagem crítica?

Isso não significa dizer que os jovens não deveriam considerar as relações culturais ou que os jovens não deveriam ter acesso à informação disponível. Significa, entretanto, insistir que as relações culturais e a informação de qualquer tipo devem ser tomadas como sintomáticas e não como curativas e finais, devem ser tomadas como sujeitas ao trabalho daqueles que discutem seus infinitos significados. Além disso, a perspectiva normativa sobre a sexualidade, ao tentar fixar certas identidades sexuais através do saber, impede que compreendamos que nossa conduta sexual é uma prática e não uma janela através da qual estaríamos limitadas a descobrir nossa verdadeira e racional identidade. De fato, e para retornar de novo a Foucault, "nós devemos conceber o sexo sem lei e o poder sem o rei" (1990, p. 89). O que parece estar em jogo aqui é a forma como conceptualizamos a dinâmica das relações culturais, a informação específica e o discurso do sexo. Nós poderíamos, da mesma forma, discutir o problema de como o sexo pode ser culturalmente apropriado e do que fazer com a perversidade. Poderíamos considerar a cultura não como um objeto sagrado e venerado a ser protegido e preservado, mas como um local altamente contestado e contraditório, no qual o descontentamento e o descontente são produzidos, no qual a geopolítica da sexualidade recusa a estabilidade de fronteiras culturais, nacionais, de gênero e sexuais.

Pode ser mais útil adotar a noção de Jonathan Silin (1995) de uma educação sexual socialmente relevante, isto é, de esforços curriculares que não temam considerar as crianças e os jovens como "pequenos investigadores do sexo", interessados nas vicissitudes da vida e da morte. Os esforços pedagógicos poderiam, então, deixar de utilizar o saber para controlar identidades específicas e ser mais incansáveis – ou melhor, mais polimorfos em sua perversidade – naquilo que pode ser imaginado quando o sexo é imaginado e naquilo que pode ser aceito quando a erótica da pedagogia e do conhecimento é aceita. Pois, se nós quisermos levar a sério as teorias sociais sobre a historicidade e o caráter problemático das construções – vistas como relações de poder – a pedagogia poderia, então, começar com o pressuposto de que as identidades são feitas e não recebidas e o trabalho do currículo consistiria em incitar identificações e críticas, e não em fechá-las. Além disso, uma educação sexual socialmente relevante pode apenas oferecer mais questões.

A que valores, orientações e éticas deveria uma educação sexual socialmente relevante apelar se a cultura não é uma casa ordenada e segura ou se a cultura produz seu próprio conjunto de desigualdades ao longo das linhas do gênero, do *status* socioeconômico, das práticas sexuais, da idade, de conceitos de beleza, do poder e do corpo? Se os adolescentes são igualmente uma construção social e não têm, portanto, nenhuma universalidade, exceto pelo fato de que nas democracias modernas a categoria assume a forma de um *status* extralegal de cidadania e consentimento sexual e está, portanto, sujeita aos controles dos pais e da supervisão escolar, se algumas outras construções, tais como a AIDS, as doenças sexualmente transmissíveis, a gravidez indesejável e várias formas sexualizadas de violência, colocam os corpos adolescentes – seja lá de que forma – em risco, nós podemos, então, formular uma questão ética. De que forma os educadores e os estudantes podem se envolver eticamente em uma educação sexual vista como indistinguível de uma prática de liberdade e do cuidado de si? Para que essas questões sejam importantes não é suficiente que os educadores as discutam e tomem uma decisão sem os estudantes e apresentem, depois, um conhecimento estável e certo. O que poderia acontecer se os educadores começassem suas discussões, entre eles e com seus estudantes, pelo reconhecimento de que não existe nada fácil na educação sexual e se a preocupação fosse fazer um currículo que não incitasse a curiosidade? A educação sexual continuaria, então, a significar "nossa paixão pela ignorância"?

Considerando esses variados contextos, a complexidade das forças que imaginam a sexualidade e nosso tempo de AIDS, o que precisamos talvez seja de esforços curriculares continuados, que comecem com pressupostos antirracistas, antissexistas e anti-homofóbicos. Mas devemos também começar a admitir que essas suposições devem ser forçadas a questionar a afirmação de que existe uma forma cultural apropriada, de que existe uma idade apropriada e, na verdade, a própria ideia de relevância cultural, pois são esses construtos que proíbem o pensamento de que a sexualidade é movimento e de que os corpos viajam. Estou propondo um currículo que possa recusar os fundamentos do eugenismo e da higiene social. Estou propondo também um esforço que possa chegar à sua própria relevância social, porque está moldado por aqueles que participam e porque aqueles que fazem o currículo estão produzindo novos interesses, capazes de pressionar os limites da crítica e do prazer. Mas ao produzir esse currículo, poderá a educação sexual exceder as categorias sociológicas e ser mais que um tópico especial, onde os corpos estão sujeitos tanto aos construtos humanísticos da autoestima e dos papéis socialmente aceitos quanto às incessantes atividades da busca de informação e da denúncia dos estereótipos? De forma mais apropriada, pode o sexo ser pensado como uma prática de si em vez de como um ensaio hipotético, como uma preparação para o futuro? E se essas questões podem ser pensadas seriamente, poderíamos nós, precisamente da mesma forma, também analisar não como o sexo pode se encaixar no currículo, mas como o sexo pode possibilitar todo o empreendimento disciplinar da educação, a ser inventado como um projeto ético de incitação ao cuidado de si?

Essa orientação em relação à sexualidade já está presente, mas não nas escolas. Muito frequentemente o tipo de projeto que tenho em mente existe fora da educação pública, além dos limites do conhecimento disciplinado e além do mecanismo defensivo do discurso escolar oficial. Os projetos podem ser conhecidos por sua controvérsia, por sua recusa a categorias ordenadas, pelos debates que eles permitem, pelas práticas que os tornam possíveis e impossíveis, e é precisamente essa dinâmica que a educação nega. Nós podemos ainda pensar na literatura, na poesia, no cinema, na música, nos murais de rua, nas peças de teatro e nos prazeres obtidos quando nos apaixonamos por pessoas e por ideias, pois nessas perspectivas imaginárias existe uma tolerância pelos desvios da vida, um interesse em estudar os inesperados movimentos de Eros e de Thanatos. Na literatura, no cinema, na arte, na música, a preocupação não está em como estabilizar o conhecimento, mas em como explorar suas fissuras, suas insuficiências, suas traições e mesmo suas necessárias ilusões. Nessas formas de arte, a incerteza pode causar ansiedade e medo, mas esses afetos podem ser explorados em todo o seu drama, sem sugerir a incompetência da leitora ou do leitor. Meu argumento é de que o currículo da sexualidade deve estar mais próximo à dinâmica da sexualidade e ao cuidado de si. Uma conversa franca não pode ser planejada antecipadamente, pois se tentarmos predizer o que acontecerá estaremos nos movimentando no terreno da paixão pela ignorância.

O modelo de educação sexual aqui proposto exige muito das professoras e dos professores. Em primeiro lugar, elas e eles devem estar dispostos a estudar a postura de suas escolas e a ver como essa postura pode impedir ou tornar possíveis diálogos com outros professores e com estudantes. As professoras precisam perguntar como seu conteúdo pedagógico afeta a curiosidade do/a estudante e sua relações com os/as estudantes. Elas devem estar preparadas para serem incertas em suas explorações e ter oportunidades para explorar a extensão e os surpreendentes sintomas de sua própria ansiedade. Mas juntamente com a análise de por que a sexualidade é tão difícil de ser discutida no conteúdo escolar, deve também haver uma disposição de parte das professoras para desenvolver sua própria coragem política, numa época em que pode não ser tão popular levantar questões sobre o cambiante conhecimento da sexualidade. Isso significa que a sexualidade tem muito a ver com a capacidade para a liberdade e com os direitos civis e que o direito a uma informação adequada é parte daquilo que vincula a sexualidade tanto com o domínio imaginário quanto com o domínio público.

O tipo de convite que tenho em mente não inclui um lugar e um destino finais. Em vez disso, a exploração que é oferecida é uma exploração que pode tanto tolerar o estudo das vicissitudes da vida e da morte quanto considerar a surpresa do domínio imaginário. O ponto de partida é uma conversa e uma produção generosa de uma sociabilidade que se recusa a se justificar através do consolo da fixação de um lugar próprio. A sexualidade é qualquer lugar.

Para que essas conversas se tornem até mesmo pensáveis em relação à educação é preciso que as educadoras e os educadores se tornem curiosos sobre suas próprias conceptualizações sobre o sexo, e ao fazê-lo, se tornem abertos também para as explorações e as curiosidades de outros relativamente à liberdade do "domínio imaginário". Pois, quando nos tornamos "pequenos investigadores do sexo", estamos interessados no estudo dos prazeres e nos tortuosos desvios que temos que fazer. Quando pudermos estudar as histórias que o sexo provoca, as perversidades que ele pode imaginar e exercitar, então, provavelmente, nos envolveremos também no estudo de onde o conhecimento entra em colapso, torna-se ansioso, é construído outra vez. O currículo movimenta-se em direção ao polimorficamente perverso e à noção de erotismo de Bataille: o problema torna-se, então, o de formular questões que possam desestabilizar a docilidade da educação.

Referências

BARBIN, H. *O diário de um hermafrodita*. Rio: Francisco Alves, 1982.

BATAILLE, G. *Erotism: death and sensuality*. São Francisco: City Lights Press, 1986.

BIGELOW, M. *Sex-education*. Nova York: MacMillan, 1916.

BRITZMAN, D. *Lost subjects, contested objects: toward a psychoanalytic inquiry of learning*. Albany: State University of New York Press, 1998.

CORNELL, D. *The imaginary domain: abortion, pornography and sexual harassment*. Nova York: Routledge, 1995.

FELMAN, S. *Jacques Lacan and the adventure of insight: psychoanalysis in contemporary culture*. Cambridge: Harvard Press, 1987.

FOUCAULT, M. "Prefácio". In Herculine Barbin, *O diário de um hermafrodita*. Rio: Francisco Alves, 1982.

FOUCAULT, M. *The history of sexuality. Vol. 3. The care of the self*. Nova York: Vintage Books, 1988.

FOUCAULT, M. The history of sexuality. Vol. 1. An introduction. Nova York: Vintage Books, 1990.

FOUCAULT, M. "The subject and power." In H. Dreyfus e P. Rabinow. *Michel Foucault: Beyond structuralism and hermeneutics*. 2ª ed. Chicago: University of Chicago Press, 1983. p. 208-226.

FREUD, A. *Psycho-analysis for teachers and parents*. Nova York: Norton Press, 1979.

FREUD, A. *The ego and the mechanisms of defense*. Madison: International Universities Press, 1966.

FREUD, S. *The standard edition of the complete psychological works of Sigmund Freud, Volume VII (1901-1905)*. Londres: Hogarth Press, 1968.

FUSS, D. *Identification papers*. Nova York: Routledge, 1995.

HALE, N. *Freud and the Americans: The beginnings of psychoanalysis in the United States, 1876-1917*. Nova York: Oxford University Press, 1995.

HALPERIN, D. *Saint Foucault: towards a gay hagiography*. Nova York: Oxford University Press, 1995.

HEMPHILL, E. *Ceremonies: prose and poetry*. Nova York: Plume Books, 1992.

LAPLANCHE, J. e PONTALIS, J.B. *The language of psychoanalysis*. Londres: Karnac Books e The Institute of Psycho-Analysis, 1988.

McLAREN, A. *Our own master race: eugenics in Canada, 1885-1945*. Toronto: McClelland and Steward Inc., 1990.

PATTON, C. "Visualizing safe sex: When pedagogy and pornography collide". In D. Fuss (org.), *Inside/out: lesbian theories, gay theories*. Nova York: Routledge, 1991. p. 373-386.

PATTON, C. *Last served? Gendering the HIV pandemic*. Londres: Taylor and Francis, 1994.

SEDGWICK, E. *Epistemology of the closet*. Berkeley: University of California Press, 1990.

SILIN, J. *Sex, death and the education of children: our passion for ignorance in the age of AIDS*. Nova York: Teachers College Press, 1995.

WATNEY, S. "Schools out". In D. Fuss (org.), *Inside/out: lesbian theories, gay theories*. Nova York: Routledge, 1991. p. 387-404.

Eros, erotismo e o processo pedagógico

bell hooks

Nós, professoras e professores, raramente falamos do prazer de eros ou do erótico em nossas salas de aula. Treinadas no contexto filosófico do dualismo metafísico ocidental, muitas de nós aceitamos a noção de que há uma separação entre o corpo e a mente. Ao acreditar nisso, os indivíduos entram na sala de aula para ensinar como se apenas a mente estivesse presente, e não o corpo. Chamar atenção para o corpo é trair o legado de repressão e de negação que nos tem sido passado por nossos antecessores na profissão docente, os quais têm sido, geralmente, brancos e homens. Mas nossos antecessores docentes não brancos se mostraram igualmente ansiosos por negar o corpo. As faculdades predominantemente negras sempre foram um bastião da repressão. O mundo público da aprendizagem institucional é um lugar onde o corpo tem de ser anulado, tem que passar despercebido. Logo no início, quando me tornei professora e precisei usar o banheiro no meio de uma aula, eu não tinha a menor ideia do que minhas antecessoras faziam em tais situações. Ninguém me falara sobre o corpo em relação à situação de ensino. O que se faz com o corpo na sala de aula? Ao tentar recordar os corpos de meus professores e professoras, eu me sinto incapaz de lembrar deles. Eu ouço vozes, lembro de detalhes fragmentados, mas muito pouco de corpos inteiros.

Entrando na sala de aula determinadas a anular o corpo e a nos entregar por inteiro à mente, nós demonstramos através de nossos seres o quão profundamente aceitamos o pressuposto de que a paixão não tem lugar na sala de aula. A repressão e a negação permitem-nos esquecer e, então, tentar, desesperadamente, recuperar a nós mesmas, nossos sentimentos, nossas paixões em algum lugar privado – depois da aula. Lembro-me de ler, anos atrás, quando ainda era uma estudante de graduação, um artigo na revista *Psychology today* relatando um estudo que revelava que a cada segundo, durante suas aulas, muitos professores homens estavam pensando sobre sexualidade – estavam, até mesmo, tendo pensamentos libidinosos sobre as estudantes. Eu fiquei estupefata. Depois de ler este artigo, que me lembro de ter compartilhado e de ter discutido interminavelmente no dormitório, eu passei a olhar os professores homens diferentemente, tentando conectar as fantasias que eu imaginava que eles estavam tendo em suas mentes com as conferências, com seus corpos que eu tinha, tão fielmente, aprendido a fingir que não via. Durante meu primeiro semestre como docente na faculdade, havia um estudante em minha aula que eu sempre parecia ver e não ver ao mesmo tempo. Quando chegou a metade do semestre, recebi uma chamada da terapeuta da escola que desejava falar comigo sobre o modo como eu tratava este estudante na sala de aula. A terapeuta contou-me que os estudantes tinham dito que eu era, de uma maneira incomum, brusca, rude, e indubitavelmente dura quando me relacionava com ele. Eu não sabia exatamente quem era o estudante, não era capaz de ligar um rosto ou um corpo ao seu nome, mas, depois, quando ele se identificou em aula, me dei conta de que eu estava eroticamente atraída por este estudante. E de que o meu modo ingênuo de enfrentar os sentimentos na sala de aula, sentimentos que eu tinha aprendido que nunca deveria ter, era me desviar (daí meu tratamento insensível para com ele), reprimir e negar. Tornando-me extremamente consciente, depois disso, sobre as formas que tais repressões e negações podiam assumir para "magoar" os/as estudantes, eu estava determinada a enfrentar quaisquer paixões que surgissem no contexto da sala de aula e lidar com elas.

Jane Gallop, ao escrever sobre o trabalho de Adrienne Rich, relacionando-o ao trabalho de homens que pensaram criticamente sobre o corpo, comenta, na sua introdução a *Thinking through the body*:

> Homens que se descobrem de algum modo pensando através do corpo são, mais provavelmente, reconhecidos e ouvidos como pensadores sérios. Nós, mulheres, temos, primeiro, que provar que somos pensadoras, o que é mais fácil quando nos conformamos ao protocolo que considera o pensamento sério como separado de um sujeito corporificado na história. Rich está sugerindo às mulheres que entrem nos domínios do pensamento e do conhecimento crítico sem se tornarem um espírito descorporificado – o homem universal.

Além do domínio do pensamento crítico, é igualmente crucial que aprendamos a entrar na sala de aula "inteiras" e não como "espíritos descorporificados". Nos primeiros tempos das aulas de "Estudos da Mulher" na Universidade de Stanford, aprendi pelo exemplo de ousadas e corajosas professoras mulheres (particularmente Diane Middlebrock) que havia um lugar para a paixão na sala de aula, que eros e o erótico não tinham necessidade de ser negados para que a aprendizagem ocorresse. Um dos princípios centrais da pedagogia crítica feminista tem sido a insistência em não reforçar a divisão mente/corpo. Esta é uma das crenças subjacentes que fez dos "Estudos da Mulher" um *locus* subversivo na academia. Enquanto os "Estudos da Mulher" têm tido, ano após ano, que lutar para serem levados a sério pelos acadêmicos das disciplinas tradicionais, aquelas de nós que temos estado intimamente engajadas, como estudantes ou professoras, com o pensamento feminista temos reconhecido sempre a legitimidade de uma pedagogia que ousa subverter a divisão mente/corpo e que nos permite ser inteiras na sala de aula e, consequentemente, de coração inteiro.

Recentemente, Susan B., uma colega e amiga, de quem fui professora na disciplina de "Estudos da Mulher", quando ela era estudante de graduação, afirmou, numa conversa, que ela sentia que estava tendo muitos problemas com as disciplinas que estava cursando por esperar uma qualidade de ensino apaixonado, o que não está ocorrendo onde ela estuda. Seus comentários fazem-me pensar de forma renovada sobre o lugar da paixão, do reconhecimento erótico no contexto da sala de aula porque eu acredito que a energia que ela sentia em nossas aulas de "Estudos da Mulher" estava realmente presente por causa da dimensão com que nós, professoras que ensinamos esses cursos, ousamos nos entregar completamente, indo além da mera transmissão de informação. A educação feminista para conscientização crítica está enraizada na suposição de que o conhecimento e o pensamento crítico dados na sala de aula deveriam orientar nossos hábitos de ser e modos de viver fora da sala de aula. Uma vez que a maioria de nossas aulas são acompanhadas quase que exclusivamente por estudantes mulheres, é mais fácil para nós não sermos espíritos descorporificados na sala de aula. Ao mesmo tempo, esperava-se que nós tivéssemos um nível de carinho e até mesmo de "amor" para com nossas estudantes. Eros estava presente em nossa sala de aula, como uma força motivadora. Como pedagogas críticas estávamos ensinando a nossas estudantes modos de pensar diferentemente sobre gênero, entendendo plenamente que este conhecimento também as levaria a viver diferentemente.

Para compreender o lugar de eros e do erotismo na sala de aula, precisamos deixar de pensar essas forças apenas em termos sexuais, embora essa dimensão não deva ser negada. Sam Keen, em seu livro *The passionate life*, leva seus leitores e leitoras a lembrar que, na sua concepção inicial, "a potência erótica não estava confinada ao poder sexual, mas incluía a força motriz que faz com que qualquer forma de vida deixe de ser mera potencialidade para alcançar sua plena realização". Dado que tal pedagogia crítica busca transformar consciências, dotar as estudantes de modos de conhecimento que as capacitem a conhecer melhor a si mesmas e a viver no mundo mais plenamente, ela deve em alguma medida confiar na presença do erótico na sala de aula como uma contribuição ao processo de aprendizagem. Keen continua:

> Quando limitamos o "erótico" ao seu sentido sexual, nós tornamos exposta nossa alienação relativamente ao resto da natureza. Nós admitimos que não somos motivados por algo parecido com a misteriosa força que leva os pássaros a migrar ou as flores a desabrochar.

> Além disso, damos a entender que a realização ou o potencial em direção aos quais nós nos movemos é sexual – a conexão romântico-genital entre duas pessoas.

A compreensão de que eros é uma força que intensifica nosso esforço global de autorrealização, de que ele pode fornecer uma base epistemológica que nos permita explicar como conhecemos aquilo que conhecemos, possibilita tanto professores quanto estudantes a usar tal energia no contexto da sala de aula de forma a revigorar a discussão e estimular a imaginação crítica.

Sugerindo que esta cultura carece de uma "visão ou ciência da higiologia" (saúde e bem-estar), Keen pergunta: "Que formas de paixão podem nos tornar inteiros? A que paixões podemos nos render com a segurança de que iremos expandir, ao invés de diminuir, a promessa de nossas vidas?" A busca do conhecimento que nos permite unir teoria e prática é uma dessas paixões. Na medida em que nós, professoras e professores, carregamos esta paixão, que tem de estar fundamentalmente enraizada num amor pelas ideias que somos capazes de inspirar, a sala de aula se torna um lugar dinâmico no qual transformações nas relações sociais são concretamente realizadas e a falsa dicotomia entre o mundo externo e o mundo interno da academia desaparece. Isso é, sob muitos aspectos, uma coisa ameaçadora. Nada no modo como eu fui treinada como professora realmente me preparou para presenciar minhas estudantes e meus estudantes transformando-se a si próprios.

Foi durante os anos em que ensinei no departamento de Estudos Afro-americanos em Yale (um curso sobre escritoras negras) que eu percebi como a educação para a conscientização crítica pode fundamentalmente alterar nossas percepções da realidade e nossas ações. Durante um desses cursos, nós, coletivamente, exploramos o poder do racismo internalizado na ficção, vendo como ele era descrito na literatura e também questionando criticamente as nossas experiências. Uma das estudantes negras que sempre tinha alisado seu cabelo porque sentia que não estaria com uma boa aparência se não o fizesse, se ela deixasse o cabelo na sua forma "natural", sofreu uma importante mudança. Ela voltou à aula após um período de feriados e contou a todos que essa disciplina a tinha afetado profundamente, tanto que quando ela foi fazer seu alisamento usual alguma força dentro dela disse "não". Lembro ainda o medo que senti quando ela testemunhou que a disciplina a tinha transformado. Embora eu acreditasse profundamente que a filosofia da educação para conscientização crítica fortalece nosso poder, eu ainda não havia unido, tranquilamente, teoria e prática. Uma pequena parte de mim ainda queria que nós permanecêssemos como espíritos descorporificados. E o seu corpo, a sua presença, seu novo visual era um desafio direto que eu tinha de enfrentar e confirmar. Ela estava me ensinando. Agora, anos mais tarde, eu leio outra vez suas palavras finais para a turma e reconheço a paixão e a beleza do seu desejo de conhecer e de agir:

> Eu sou uma mulher negra. Eu cresci em Shaker Heights, Ohio. Não posso voltar atrás e mudar anos de crença de que eu nunca poderia ser tão bonita ou tão inteligente como muitas das minhas amigas brancas – mas eu posso de agora em diante aprender a me orgulhar de quem eu sou... Eu não posso voltar atrás e mudar anos de crença de que a coisa mais

> maravilhosa no mundo seria ser a mulher de Martin Luther King Jr. – mas eu posso seguir em frente e descobrir a força que necessito para ser revolucionária por mim mesma mais do que a companheira e a auxiliar de outra pessoa. Não, eu não acredito que possamos mudar o que já foi feito, mas nós podemos mudar o futuro e assim eu estou resgatando e aprendendo mais sobre quem eu sou de modo que eu possa ser inteira.

Tentando reunir meus pensamentos sobre erotismo e pedagogia, tenho relido diários de estudantes, diários que cobrem um período de dez anos. Uma e outra vez, leio notas que poderiam facilmente ser consideradas "românticas", quando as estudantes e os estudantes expressam seu amor por mim, por nossas aulas. Aqui uma estudante asiática expressa seu pensamento sobre uma aula:

> As pessoas brancas nunca compreenderam a beleza do silêncio, do vínculo e da reflexão. Você nos ensina a falar e a prestar atenção nos sinais do vento. Como uma guia, você caminha silenciosamente através da floresta na nossa frente. Na floresta, tudo tem som, tudo fala.... Você também nos ensina a falar, onde toda a vida fala na floresta, não apenas a do homem branco. Isso não faz parte de sentir-se inteira – a habilidade de ser capaz de falar, de não ter de ficar em silêncio ou ter de agir todo o tempo, a habilidade de ser capaz de ser crítica e honesta – abertamente? Esta é a verdade que você nos ensinou: todas as pessoas merecem falar.

Ou um estudante negro escrevendo que ele irá "me amar agora e sempre" porque nossas aulas tinham sido uma dança, e ele adora dançar:

> Eu adoro dançar. Quando eu era uma criança, eu dançava em todo o lugar. Por que caminhar quando você pode gingar por todo o caminho? Quando eu dançava minha alma corria livre. Eu era poesia. Nas minhas idas com minha mãe ao armazém, aos sábados, eu podia sapatear, sapatear, sapatear, bailar empurrando o carrinho de compras através dos corredores. Mamãe virava-se para mim e dizia: "Garoto, pare com esta dança. As pessoas brancas pensam que isso é tudo o que nós somos capazes de fazer." Eu parava mas quando ela não estava olhando eu dava um rápido pontapé no ar ou recuava. Eu não me importava com o que os brancos pensavam, eu apenas adorava dançar-dançar-dançar. Eu ainda danço e continuo não me importando com o que as pessoas pensam, sejam brancas ou negras. Quando eu danço minha alma é livre. É triste ler sobre homens que param de dançar, que deixam de ser tolos, que param de permitir que suas almas voem livres... Acho que, para mim, sobreviver inteiro significa nunca parar de dançar.

Estas palavras foram escritas por O'Neal LaRon Clark em 1987. Nós tivemos uma apaixonada relação professora/aluno. Ele era alto, tinha mais de um metro e oitenta; eu me lembro do dia em que ele chegou atrasado em aula e foi direto para a frente, me levantou e girou comigo. A turma riu. Eu o chamei de "bobo" e ri. Isso era um jeito de se desculpar por estar atrasado, por perder qualquer momento da paixão da sala de aula. E assim ele trouxe seu momento próprio. Eu, também, adoro dançar. E assim nós dançamos em nosso caminho em direção ao futuro como camaradas e amigos ligados por tudo o que tínhamos aprendido na aula juntos. Aquelas pessoas que o conheceram lembram as vezes em que ele chegava à aula cedo para fazer imitações engraçadas da professora. Ele morreu inesperadamente no ano passado – ainda dançando, ainda me amando agora e sempre.

Quando eros está presente no contexto da sala de aula, então o amor está destinado a florescer. Persistentes distinções entre o público e o privado fazem-nos acreditar que o amor não tem lugar na sala de aula. Mesmo que muitos espectadores tenham podido aplaudir um filme como *Sociedade dos poetas mortos*, possivelmente se identificando com a paixão do professor e seus estudantes, raramente tal paixão é afirmada institucionalmente. Espera-se que professores e professoras publiquem, mas realmente não se espera ou não se exige que nós de fato nos importemos com ensinar de modo extraordinariamente apaixonado e diferente. Professores e professoras que amam estudantes e são amados por eles ainda são "suspeitos" na academia. Parte da suspeita baseia-se no temor de que a presença de sentimentos, de paixão, possa impedir uma consideração objetiva do mérito de cada estudante. Mas essa concepção está baseada na falsa pressuposição de que a educação é neutra, de que há alguma base emocional "equilibrada" sobre a qual podemos nos apoiar de modo a podermos tratar todos igualmente, desapaixonadamente. Na realidade, laços especiais entre professores, professoras e estudantes sempre existiram, mas tradicionalmente eles têm sido exclusivos mais do que inclusivos. Permitir que o sentimento de alguém, que o carinho e o desejo de apoiar indivíduos particulares na sala de aula se expanda e atinja todos vai contra a concepção privatizada de paixão. Nos diários de estudantes de várias turmas que eu ensinei havia sempre reclamações sobre ligações especiais percebidas entre mim e estudantes particulares. Ao me dar conta de que meus alunos e alunas estavam incertos sobre expressões de carinho e amor na sala de aula, descobri que era necessário ensinar sobre o assunto. Perguntei uma vez aos alunos e alunas: "Por que você sente que o olhar que eu dirijo a um/a estudante em particular não pode também ser estendido a cada um de vocês? Por que você pensa que não há amor ou carinho suficientes para todo mundo?" Para responder essas questões eles e elas tinham de pensar profundamente sobre a sociedade em que nós vivemos, como somos ensinados a competir uns com os outros. Tinham de pensar sobre o capitalismo e como ele informa o modo como nós pensamos sobre amor e carinho, o modo como vivemos nossos corpos, o modo como tentamos separar a mente do corpo.

Não há muito ensino ou aprendizagem apaixonada na educação superior hoje em dia. Mesmo onde estudantes estão desesperadamente desejando ser tocados pelo conhecimento, professores e professoras ainda têm medo do desafio, ainda deixam que suas preocupações sobre perda de controle prevaleçam sobre seus desejos de ensinar. Ao mesmo tempo, aqueles e aquelas de nós que ensinamos os mesmos velhos assuntos das mesmas velhas maneiras estamos, muitas vezes, intimamente aborrecidos – incapazes de reacender paixões que um dia podíamos ter sentido. Se, como sugere Thomas Merton, em seu ensaio sobre pedagogia *Aprendendo a viver*, o propósito da educação é demonstrar aos estudantes como definir a si mesmos "autêntica e espontaneamente em relação" ao mundo, então professores e professoras podem ensinar melhor se são autorrealizados. Merton lembra-nos que "a ideia original e autêntica de paraíso, tanto no mosteiro como na universidade, envolve não apenas um estoque celestial de ideias teóricas para as quais os Mestres e os Doutores têm a chave, mas o eu íntimo dos estudantes", os quais descobririam o fundamento do seu ser em relação consigo mesmos, com os altos poderes, com a comunidade. Merton lembra ainda que o "fruto da educação [...] está na ativação deste centro máximo". Para restaurar a paixão pela sala de aula ou para estimulá-la na sala de aula, onde ela nunca esteve, nós, professores e professoras, devemos descobrir novamente o lugar de eros dentro de nós próprios e juntos permitir que a mente e o corpo sintam e conheçam o desejo.

Cultura, economia política e construção social da sexualidade

Richard Parker

Observa-se, desde 1980, na antropologia social e cultural, assim como em muitas outras disciplinas das ciências sociais, um aumento significativo na pesquisa e no interesse acadêmico em relação à sexualidade (Davis e Whitten, 1987; Parker e Easton, 1998; Vance, 1995). As razões para isso são de várias ordens: um contexto mais amplo de mudança nas normas sociais; a influência mais específica de movimentos políticos feministas, gays e lésbicos; o impacto da emergente pandemia do HIV/AIDS; e a preocupação crescente com as dimensões culturais da saúde reprodutiva e sexual (Parker e Gagnon, 1995). Considerados em conjunto, tais fatores têm se combinado para estimular um dos campos mais inovadores e criativos da pesquisa antropológica contemporânea e propiciar importantes oportunidades e desafios para a pesquisa interdisciplinar e comparativa sobre a sexualidade.

Tentarei, neste ensaio, dar uma visão geral do desenvolvimento da pesquisa antropológica sobre a sexualidade e o comportamento sexual no final dos anos 1980 e nos anos 1990, destacando as principais perspectivas teóricas que têm orientado as análises comparativas. Quero enfatizar, em particular, a crescente importância daquilo que se tem descrito como abordagens sobre a "construção social" da sexualidade e examinar os modos pelos quais os fatores culturais e, mais recentemente, os fatores políticos e econômicos têm sido vinculados, em diferentes locais, à construção ou à constituição da experiência sexual. Com base nessa discussão, tentarei identificar uma série de questões centrais que têm constituído o foco de atenção das pesquisas, destacando algumas das direções possíveis que os estudos antropológicos e sociológicos podem tomar no futuro.

A teoria da construção social

Embora aquilo que chamamos de "perspectivas construcionistas sociais" tenha se tornado crescentemente importante na pesquisa antropológica nos últimos anos, nem sempre foi assim. De fato, numa revisão publicada originalmente em 1991 (tradução brasileira: 1995), Carole Vance examinou a relação entre pesquisa antropológica e pesquisa sobre sexualidade, distinguindo dois modelos teóricos principais: o primeiro surge a partir dos estudos e dos movimentos periféricos aos estudos antropológicos tradicionais; o segundo vem do centro da tradição antropológica. Como sabemos, a teoria da construção social, com base num conjunto diversificado de pesquisas, sustenta o argumento de que a sexualidade é construída de forma diferente através das culturas e do tempo. Carole Vance contrasta essa teoria com o modelo da "influência cultural", no qual a sexualidade é conceptualizada como um estado universal, imutável, mediado em maior ou menor extensão pelo contexto cultural (Vance, 1995; Parker e Easton, 1998).

De acordo com Vance, essas abordagens antropológicas mais tradicionais de compreensão da sexualidade não mudaram ou não foram questionadas significativamente no período que vai de 1920 a 1990. Ao longo desse período, o modelo da "influência cultural" orientou a maior parte dos trabalhos antropológicos sobre a sexualidade. Ainda que esse modelo admita que existe alguma variação transcultural na expressão da sexualidade, a sua manifestação e o seu suposto impulso biológico, bem como a sua função reprodutiva, são geralmente vistos como universalmente consistentes. No quadro de referência desse modelo, a sexualidade pode se referir a vários temas, incluindo preliminares sexuais, masculinidade e feminilidade, orgasmo, relações sexuais e fantasia erótica. É importante observar que, dadas as crenças populares ocidentais sobre a relação unidimensional entre sexo e gênero, esse modelo frequentemente funde a sexualidade com o gênero, ao mesmo tempo em que obscurece a questão das relações de gênero dentro do tópico mais amplo da sexualidade. Em muitos relatos etnográficos, o comportamento sexual é interpretado como um marcador do significado ou da identidade sexual, resultando em análises enviesadas e etnocêntricas. Por causa de sua dependência relativamente ao modelo da influência cultural, o trabalho antropológico convencional, embora nos tenha mostrado a importância do relativismo na maioria dos outros domínios culturais, raramente questionou a suposta universalidade da sexualidade. O modelo da influência cultural não deixa, porém, de ter seus pontos fortes. Com base nos princípios antropológicos do relativismo e da variabilidade intercultural, ele tem sido utilizado para questionar a uniformidade e a inevitabilidade das normas e dos costumes sexuais ocidentais (Vance, 1995; Parker e Easton, 1998).

Embora o trabalho baseado no modelo da influência cultural tenha conformado, em certa medida, o desenvolvimento da teoria da construção social e mesmo que alguns antropólogos que trabalham a partir desse quadro de referência se considerem seguidores da teoria da construção social, os dois modelos continuam sendo vistos como paradigmas distintos e separados. Crescentemente, porém, tanto dentro quanto fora da antropologia, grupos que realizam um trabalho não convencional e crítico têm se constituído na principal força de sustentação do desenvolvimento da teoria da construção social na pesquisa sobre a sexualidade. Vance alerta que a categoria de "construção social" tem várias conotações na pesquisa sobre a sexualidade, mas que, em geral, a teoria da construção social põe em questão noções essencialistas sobre a sexualidade. Os proponentes dessa teoria diferem em suas crenças em relação a que aspectos da sexualidade – os atos sexuais, as identidades sexuais, as comunidades sexuais, o desejo e a direção do interesse erótico – podem ser construídos, embora a maioria dos modelos seja construída ao redor da noção central de que os atos sexuais têm significado social e sentidos subjetivos variados, dependendo do contexto cultural nos quais eles ocorrem, como é demonstrado pela variação existente nas categorias e nos rótulos sexuais. Todas as definições são baseadas na suposição subjacente de que a sexualidade é mediada por fatores culturais e históricos. Em particular, a teoria da construção social permite fazer distinções entre atos sexuais, identidades sexuais e comunidades sexuais. A inerente reflexividade do modelo de construção social, por outro lado, permite que se questione a validade de se impor, a outras culturas, as crenças populares ocidentais sobre a sexualidade (Vance, 1995; Parker e Easton, 1998).

Vance identifica as origens do impulso pela teoria da construção social da sexualidade, especificamente, nos estudos feministas, no trabalho histórico sobre a identidade sexual masculina nos Estados Unidos e na Europa durante o século XIX, bem como na política social ao redor da sexualidade nos séculos XIX e XX. As contribuições do feminismo à teoria da construção social são múltiplas. Com base na extraordinária diversidade de papéis das mulheres, do ponto de vista intercultural, histórico e geracional, a teoria feminista contesta o determinismo biológico implícito nos construtos ocidentais da sexualidade e das diferenças de sexo (Bleier, 1984; Fausto-Sterling, 1985; Hubbard et al., 1982; Sayers, 1982; Tobach, 1978). A existência de variações culturais contradiz as noções de papéis universais de gênero e de uma sexualidade feminina uniforme. Essa atenção à variabilidade cultural dos papéis de gênero, alimentada pela luta por direitos reprodutivos, inspirou uma reconfiguração analítica das categorias de sexualidade e gênero. Campanhas por maior acesso ao controle da natalidade e pelo aborto estavam baseadas numa diferenciação teórica entre a sexualidade feminina e os tradicionais papéis femininos de gênero.

Um movimento igualmente influente, em geral conduzido por intelectuais independentes e por pessoas fora da academia, ocorreu, de forma paralela, no trabalho teórico e na pesquisa sobre a identidade sexual. Vance observa, significativamente, que a parte menos reconhecida e mais controversa desse trabalho é, muitas vezes, ignorada, devido ao fato de que a *História da sexualidade* de Foucault (1978) tem sido promovida como um trabalho academicamente legítimo e definitivo sobre a sexualidade, apesar da consistente falta de apoio que a academia tem dado à pesquisa sobre sexualidade. A pesquisa sobre a identidade sexual foi originalmente empreendida como uma busca das raízes históricas da homossexualidade masculina, tal como exemplificado pela primeira análise que McIntosh fez da história da homossexualidade na Inglaterra (McIntosh, 1968). Mais tarde, Weeks (1977) promoveu uma mudança teórica no estudo da homossexualidade, defendendo o argumento de que o comportamento homossexual deveria ser considerado separadamente da identidade sexual. A pesquisa antropológica intercultural sobre a homossexualidade levantou questões adicionais sobre a natureza e as origens das categorias de identidade sexual (Blackwood, 1986; Greenberg, 1988; Weston, 1993; Parker e Easton, 1998).

Tensões políticas ao redor da sexualidade, ao nível da comunidade e do Estado, ao longo dos séculos XIX e XX, também tiveram um impacto na teoria da construção social. A regulação da sexualidade pelo Estado, particularmente através dos movimentos de saúde pública, tornou-se cada vez mais comum. Devido ao fato de que políticas estatais em relação à sexualidade se expressam, muito frequentemente, através do discurso da saúde e da doença, o desenvolvimento de políticas de saúde tem sido dominado por médicos e cientistas de grupos étnicos e de classe socialmente poderosos. Não obstante, membros de subculturas sexuais e políticas têm sido fundamentais na organização de movimentos de base, modelando as formas como a sexualidade é configurada e conceptualizada: as subculturas sexuais têm desafiado o *status quo* através de demonstrações simbólicas e ocupações de espaços públicos, fornecendo, outra vez, novas áreas para investigação (Bristow, 1977; Brant, 1985;

Gordon, 1974; Kendrick, 1987; Peiss e Simmons, 1989; Pivar, 1972; Walkowitz, 1980).

Por fim, a epidemia do HIV/AIDS, que começou a aparecer no início dos anos 1980, provou ser um catalisador importante para a pesquisa sobre a sexualidade e para a teoria da construção social (Vance, 1995; Herdt e Lindenbaum, 1992; Parker e Gagnon, 1995). A utilização de concepções convencionais sobre sexualidade para compreender a transmissão e prevenção do HIV tem servido para ressaltar algumas das inadequações das pesquisas e metodologias existentes. Por exemplo, métodos epidemiológicos de conceptualização e quantificação da sexualidade não permitem a compreensão dos significados que lhe estão associados (Parker, 1987; Herdt e Lindenbaum, 1992). As demandas práticas para analisar e para dar respostas à epidemia têm dado, portanto, um importante estímulo às abordagens construcionistas sociais na antropologia e em disciplinas relacionadas, na medida em que dados culturais têm sido crescentemente utilizados para desconstruir noções aceitas de conduta sexual (Herdt e Lindenbaum, 1992).

Culturas, identidades e comunidades sexuais

A compreensão, surgida nos últimos anos, da sexualidade como socialmente construída tem, então, redirecionado grande parte da atenção da pesquisa antropológica e sociológica não apenas para os sistemas sociais e culturais que modelam nossa experiência sexual, mas também para as formas através das quais interpretamos e compreendemos essa experiência. Essa visão da sexualidade e da atividade sexual tem, cada vez mais, focalizado a atenção da pesquisa sobre a natureza intersubjetiva dos significados sexuais –

seu caráter compartilhado, coletivo, considerado não como propriedade de indivíduos isolados ou atomizados, mas de pessoas sociais integradas no contexto de culturas sexuais distintas e diversas. A partir dessa perspectiva, a experiência subjetiva da vida sexual é compreendida, literalmente, como um produto dos símbolos e significados intersubjetivos associados com a sexualidade, em diferentes espaços sociais e culturais (Connell e Dowsett, 1992; Gagnon e Simon, 1973; Parker e Gagnon, 1995; Parker e Barbosa, 1996; Parker e Easton, 1998; Stein, 1990; Weeks, 1985; Vance, 1995).

Nesse quadro de referência construcionista, o comportamento sexual é visto como intencional, embora sua intencionalidade seja sempre modelada no interior de contextos específicos de interações social e culturalmente estruturadas. Nesse sentido, compreender o comportamento individual é menos importante do que compreender o contexto de interações sexuais – interações que são necessariamente sociais e que envolvem negociações complexas entre diferentes indivíduos. A atenção tem-se voltado, crescentemente, para aquilo que John Gagnon e William Simon descreveram como *scripts* (ou "roteiros") sexuais, os quais existem em diferentes locais sociais, organizando a estrutura e as possibilidades da interação sexual em uma gama de formas específicas (Gagnon e Simon, 1973; Simon e Gagnon, 1984; Parker, 1991; Parker e Gagnon, 1995). Esse foco, por sua vez, levou a uma nova preocupação com os cenários culturais mais amplos, com as práticas discursivas e com os complexos sistemas de saber e poder que, como Michel Foucault convincentemente argumentou, produzem, de modo bastante literal, o significado e a experiência da sexualidade em diferentes espaços históricos, sociais e culturais (Foucault, 1978; Rubin, 1984; Weeks, 1985).

Em muitas das pesquisas recentes sobre a sexualidade e a conduta sexual, essa ênfase na organização social das interações sexuais, nos contextos nos quais as práticas sexuais ocorrem e nas complexas relações entre significado e poder na constituição da experiência sexual, tem levado, então, a um novo foco na investigação de variadas "culturas sexuais". A atenção da pesquisa tem mudado, crescentemente, do comportamento sexual em si e por si mesmo, para os espaços culturais nos quais ele tem lugar e para os papéis culturais que o organizam (Davis e Whitten, 1987; Parker, 1991; Herdt, 1997). Tem-se enfatizado, especialmente, a análise das categorias e dos sistemas de classificação culturais nativos que estruturam e definem a experiência sexual em diferentes contextos sociais e culturais (Parker, 1991, 1994; Parker, Herdt e Carballo, 1991).

Num período de tempo notavelmente curto, tornou-se cada vez mais evidente que muitas das categorias e das classificações centrais que tinham sido utilizadas para descrever a vida sexual na medicina ocidental (e, mais recentemente, na epidemiologia de saúde pública) estão longe, de fato, de serem universais ou de serem tomadas como dadas e naturais em todos os contextos culturais. Ao contrário, categorias tão diversas como "homossexualidade", "prostituição", e mesmo "masculinidade" e "feminilidade" podem estar completamente ausentes ou, no mínimo, estruturadas muito diferentemente, em muitas sociedades e culturas – embora uma quantidade qualquer de outras categorias importantes possa muito bem estar presente e deixar de se conformar ou de se ajustar precisamente aos sistemas classificatórios da ciência ocidental. Ao enfocar com mais cuidado as categorias e classificações locais, as pesquisadoras e os pesquisadores têm procurado, cada vez mais, abandonar aquilo que poderia ser descrito, na antropologia e na linguística, como uma perspectiva *de fora* para adotar aquilo que é descrito como uma perspectiva *de dentro* – passando dos conceitos de "experiência distante", próprios da ciência, para os conceitos de "experiência próxima" que os membros de culturas específicas usam para compreender e interpretar suas próprias realidades (Geertz, 1983; Parker, 1989, 1991, 1994).

Em nenhuma outra situação a importância de se compreender os conceitos específicos ou de "experiência próxima" que organizam a vida sexual fica mais claramente evidente do que no exame da complexa relação entre comportamento e identidade sexual (Parker, 1994). Já no início da epidemia do HIV/AIDS, por exemplo, tornou-se rapidamente óbvio que as categorias epidemiológicas relacionadas à homossexualidade e à heterossexualidade constituíam, na melhor das hipóteses, uma explicação pobre para a complexidade e para a diversidade da experiência sexual vivida e que nem o comportamento homossexual nem o comportamento heterossexual estavam associados, necessariamente, com uma consciência de si ou com uma identidade sexual que pudessem ser consideradas distintas (Parker e Carballo, 1990). De fato, embora os modelos biomédicos ocidentais de experiência sexual tenham, frequentemente, estabelecido uma relação necessária entre desejo sexual, comportamento sexual e identidade sexual, a pesquisa social e cultural tem, consistentemente, colocado essa relação em questão, mostrando a ampla gama de possíveis variações que parecem estar presentes ao longo de diferentes espaços sociais e culturais (Carrier, 1985, 1995; Greenberg, 1983; Gregor, 1985; Herdt, 1981, 1984, 1987, 1997; Kutsche, 1995; Kutsche e Page, 1991; Lancaster, 1988, 1992; Parker, 1987, 1989, 1991, 1999; Perlongher, 1987; Prieur, 1998; Sheperd, 1987; Weston, 1993).

Isso apareceu com clareza especial no estudo das interações homossexuais masculinas, primeiramente em uma série de culturas não ocidentais e, quase imediatamente, em muitas populações étnicas e grupos minoritários em vários países ocidentais (Herdt, 1997; Weston, 1993). A atenção das pesquisas focalizou-se, então, nos diferentes modos através dos quais as interações sexuais entre homens são estruturadas e nas diversas identidades sexuais que são organizadas ao redor de tais interações. Em muitas situações, por exemplo, as noções de atividade e passividade nas interações sexuais provaram ser mais importantes na definição da identidade sexual do que a escolha, por alguém, do objeto sexual ou do sexo de seu parceiro. Tornou-se cada vez mais claro que nenhuma relação causal direta podia ser pressuposta, necessariamente, entre o desejo sexual, o comportamento sexual e a identidade sexual, e que formas pelas quais as identidades sexuais são construídas em diferentes espaços dependem em grande parte das categorias e das classificações sexuais disponíveis nas diferentes culturas sexuais (Alonso e Koreck, 1989; Block e Ligouri, 1992; Carrier, 1985, 1995; Daniel e Parker, 1991, 1993; Fry, 1982, 1985; Fry e MacRae, 1983; Herdt, 1981, 1984, 1987; Lancaster, 1988, 1992; MacRae, 1990; Parker e Carballo, 1990; Parker, 1999; Perlongher, 1987; Prieur, 1998; Tan, 1995; Wilson, 1995).

Embora grande parte da pesquisa sobre identidade sexual tenha se focalizado nas relações entre homens que têm sexo com homens (Blackwood, 1986), tem-se aplicado praticamente o mesmo tipo de reflexão crítica a uma série de outras categorias epidemiológicas, particularmente aos grupos considerados como "de risco" pela infecção do HIV (ten Brummelhuis e Herdt, 1995). Estudos comparativos sobre prostituição ou trabalho sexual, por exemplo, têm comprovado o fato de que relações de troca sexual e econômica são muito mais complexas e variadas do que originalmente se supunha (Zalduondo, 1991). Em muitos contextos, a troca de serviços sexuais por dinheiro, por presentes ou por favores é um elemento comum da interação sexual, não implicando em uma identidade sexual (ou, neste caso, em uma identidade social) distinta, enquanto que, em outros contextos, as trocas podem ser organizadas ao redor de uma consciência específica de identidade, compartilhada pelos trabalhadores e pelas trabalhadoras do sexo (Parker, Herdt e Carballo, 1991). As sanções sociais e o estigma associados com a prostituição feminina ou masculina existentes em alguns espaços não existem, necessariamente, em outros, e a relação entre comportamento e identidade é tão problemática e tão situacionalmente variável em relação ao trabalho sexual quanto o é em relação às interações entre sujeitos do mesmo sexo (Zalduondo, 1991; Daniel e Parker, 1991, 1993; Larvie, 1997; Pheterson, 1989; Prieur, 1998).

Na verdade, em muitos trabalhos recentes sobre culturas sexuais e sobre a construção social de interações sexuais, até mesmo as noções de gênero e de identidade de gênero têm sido, cada vez mais, questionadas. O que significa ser macho ou fêmea, masculino ou feminino, em contextos sociais e culturais diferentes, pode variar enormemente, e a identidade de gênero não é claramente redutível a qualquer dicotomia biológica subjacente. Todos os machos e fêmeas biológicos devem ser submetidos a um processo de socialização sexual no qual noções culturalmente específicas de masculinidade e feminilidade são modeladas ao longo da vida. É através desse processo de socialização sexual que os indivíduos aprendem os desejos, sentimentos, papéis e práticas sexuais típicos de seus grupos de idade ou de *status* dentro da sociedade, bem como as alternativas sexuais que suas culturas lhes possibilitam. Como resultado, a pesquisa social sobre sexualidade tem-se focalizado, cada vez mais, nos diversos processos de socialização sexual e na experiência sexual de jovens, não apenas em si e por si mesmos, mas também como uma abertura importante para a dinâmica da vida sexual – para os modos através dos quais os significados sexuais intersubjetivos são internalizados e reproduzidos na interação social e sexual (Caplan, 1987; Gilmore, 1990; Gutmann, 1994; Herdt, 1981; MacCormack e Strathern, 1980; Ortner e Whitehead, 1981; Parker, Herdt e Carballo, 1991; Parker e Gagnon, 1995; Parker e Barbosa, 1996; Prieur, 1998).

Embora esse foco na construção social das identidades sexuais tenha adquirido uma importância especial no trabalho mais recente (particularmente em relação ao HIV), ele também tem sido associado a uma ênfase crescente na organização de distintas comunidades sexuais. De fato, assim como pesquisas recentes têm demonstrado que não há relação necessária ou intrínseca entre comportamentos sexuais e identidades sexuais, muitos estudos têm demonstrado, também, as ligações complexas (e algumas vezes contraditórias) entre comportamento, identidade e a formação de comunidades sexuais. Os diferentes modos através dos quais as comunidades sexuais tomam forma e evoluem têm-se tornado, então, questões especialmente importantes para a pesquisa voltada à compreensão do contexto social e cultural mais amplo da conduta sexual (Altman, 1995; Bao, 1993; Chauncey, 1994; D'Emilio e Freedman, 1988; Herdt, 1992, 1997; Kennedy e Davis, 1993; Parker, 1999; Parker e Carballo, 1990; Parker, Herdt e Carballo, 1991; Prieur, 1998; Tan, 1995).

Tal como ocorre no caso da pesquisa sobre identidades sexuais, a pesquisa sobre subculturas e comunidades sexuais associadas a homens que têm sexo com outros homens tem sido especialmente importante. Os estudos iniciais de mudanças de comportamento em resposta ao HIV/AIDS, nas comunidades gays de vários países desenvolvidos, têm ressaltado o desenvolvimento de uma estrutura comunitária e de apoio como um fator importante na redução do comportamento sexual de risco (Kippax, Connell, Dowsett e Crawford, 1993). Pesquisas realizadas em outros contextos sociais e culturais e, particularmente, numa série de sociedades em desenvolvimento, nas quais a emergência de uma comunidade gay tem sido mais limitada, apontaram, ao contrário, para a ausência dessas estruturas como um fator igualmente importante na tentativa de se compreender a limitada mudança comportamental aí observada (Daniel e Parker 1991, 1993; Block e Ligouri 1992), bem como para a importância de estruturas comunitárias emergentes, vistas como parte de um processo mais amplo de mudança social e sexual (Parker, 1999; Parker et al., 1995).

Essa consciência sobre a existência de diferenças fundamentais na organização de comunidades sexuais tem levado, por sua vez, a uma maior atenção, por parte das pesquisas, para com as diversas subculturas sexuais que existem em muitas sociedades. Particularmente, os homens que têm sexo com homens; as diversas redes sociais e sexuais e os diversos sistemas de valores associados com interações entre pessoas do mesmo sexo, envolvendo homens de classe baixa ou trabalhadora em oposição a homens de classe média ou alta; os contextos específicos associados com travestismo ou mudança de gênero e com prostituição masculina; bem como uma gama de outras variações, têm-se tornado, todos, focos de estudo, demonstrando as complexas formas através das quais as práticas sexuais são organizadas no interior de sistemas sociais (Aggleton, 1996; Gevisser e Cameron, 1995; Kippax, Connell, Dowsett e Crawford, 1993; Parker, 1999; Parker e Barbosa, 1996; Prieur, 1998). A emergência – como uma resposta social, ao menos em parte, à rápida disseminação da pandemia HIV/AIDS – de novas comunidades homossexuais, com suas próprias estruturas institucionais e representações sociais, também tem dirigido a atenção para os dinâmicos processos sociais, econômicos e políticos que moldam a constituição das comunidades sexuais, particularmente nos países em desenvolvimento, considerados como parte de um sistema mundial mais amplo (Altman, 1995, 1996; Parker, 1999; Tan, 1995).

Muitas das mesmas abordagens e compreensões obtidas através do estudo das diversas comunidades sexuais ligadas a homens que têm sexo com homens também têm sido aplicadas a outros grupos, tais como trabalhadores e trabalhadoras do sexo, culturas jovens e até mesmo subculturas sexuais de diferentes grupos étnicos e de classe (Almoguer, 1991; Zalduondo, Hernandez-Avila, e Uribe Zuñiga,

1991; Hawkeswood, 1996; Paiva, 1993; Parker e Barbosa, 1996). A atenção tem-se focalizado nas complexas formas através das quais essas diferentes comunidades estruturam as possibilidades de interação sexual entre atores sociais individuais, definindo uma série de parceiros e práticas sexuais potenciais. Quem tem permissão de ter sexo com quem, sob que circunstâncias e com que resultados específicos não são, nunca, questões simplesmente casuais. Tais possibilidades são definidas através de regras implícitas e explícitas e regulamentos impostos pelas culturas sexuais de comunidades específicas. A pesquisa tem-se voltado, então, cada vez mais, para o estudo das redes sexuais, na tentativa de investigar os sistemas de significado e os princípios sociais estruturais que organizam as possibilidades de interação em diferentes comunidades (Hawkeswood, 1996; Laumann e Gagnon, 1995).

Essa consciência dos modos através dos quais as comunidades sexuais estruturam suas possibilidades de contato sexual tem chamado atenção para os diferenciais de poder social e culturalmente sancionados – particularmente entre homens e mulheres (Zalduondo e Barnard, 1995; Gupta e Weiss, 1995; Heise, 1995; Lancaster, 1992; Parker, 1991; Parker e Barbosa, 1996), mas também, em alguns casos, para os diferenciais de poder entre diferentes tipos de homens (Lancaster 1992, 1995; Parker 1991, 1999; Prieur, 1998). Precisamente devido ao fato de que diferentes culturas sexuais organizam a desigualdade sexual de formas específicas, essas regras e regulamentos culturais colocam limitações específicas ao potencial para a negociação nas interações sexuais – e condicionam, por sua vez, as possibilidades para a ocorrência de violência sexual, para padrões de utilização de medidas preventivas, para as estratégias de redução do risco do HIV/AIDS, e assim por diante. A dinâmica das relações de poder de gênero tem-se tornado, então, um foco importante para a pesquisa contemporânea, particularmente em relação à saúde reprodutiva e à rápida disseminação da infecção do HIV entre as mulheres (Ginsberg e Rapp, 1995; Gupta e Weiss, 1995; Heise, 1995; Parker e Gagnon, 1995; Parker e Galvão, 1995).

Para uma economia política da sexualidade

A crescente confrontação, nos últimos anos, com questões de poder e com as relações entre cultura e poder tem exigido, cada vez mais, que a pesquisa sobre a sexualidade se volte para uma série de questões estruturais mais amplas que, em interação com os sistemas de significado culturalmente constituídos, desempenham, também, um papel-chave na organização do campo sexual e na definição das possibilidades que podem se abrir aos sujeitos sexuais. Isso, por sua vez, tem levado a uma nova ênfase na tentativa de ultrapassar uma série de limitações teóricas das abordagens culturais nos estudos sobre sexualidade, particularmente articulando o construcionismo social com a economia política. Como afirmam Lancaster e di Leonardo (1997), metamorfoses nas relações de gênero e nas relações sexuais, em nível social, refletem sempre mudanças políticas, econômicas e culturais mais amplas. Embora adotando, ainda, problematizações pós-modernistas a respeito das categorias tradicionalmente definidas de sexo, raça e classe, as novas teorias têm ido além do pós-modernismo, abandonando também modelos anteriores mecanicistas de economia política, nos quais uma base econômica é vista como determinante de uma superestrutura cultural, em favor de um modelo mais complexo e interativo, visando um construcionismo social mais fundamentado e politicamente relevante (Lancaster, 1992, 1995; Parker e Gagnon, 1995; Parker, 1999; Parker, Barbosa e Aggleton, 1999; Parker e Easton, 1998).

O movimento em direção ao que poderia ser descrito como uma perspectiva mais politizada (e, portanto, para a incorporação da economia política) na pesquisa social e cultural sobre a sexualidade está enraizado em quatro movimentos que vêm ocorrendo no ocidente desde os anos sessenta: a revolução sexual, o feminismo, a liberação gay e o movimento de direitos civis (Lancaster e di Leonardo, 1997). Embora a revolução sexual seja vista, retrospectivamente, como tendo eliminado atitudes conservadoras em relação ao sexo e reduzido as restrições culturais a respeito do sexo, ela promoveu, sobretudo, a liberdade sexual de homens heterossexuais. Ao invocar as análises que Engels e Goldman fizeram do casamento heterossexual como uma forma de sancionar a prostituição e a troca de riquezas, a teoria feminista surgiu para contestar alguns dos pressupostos da revolução sexual a respeito da sexualidade das mulheres. O feminismo também se aproveitou da leitura construcionista a respeito da sexualidade feita por Simone de Beauvoir, a qual preparou o caminho para a reconceptualização das categorias de sexo e de gênero (Lancaster e di Leonardo, 1997).

O influente ensaio de Rubin, "The traffic in women" ("O tráfico de mulheres"), é um exemplo pioneiro da mudança na conceptualização do sexo e do gênero, vistos agora como duas categorias separadas que atuam no interior daquilo que Rubin denominou "sistema sexo/gênero" (Rubin, 1975). Para desenvolver sua análise sobre a gênese da opressão sobre as mulheres, Rubin define o sistema sexo/

gênero como o processo social através do qual a sexualidade biológica é culturalmente traduzida em ação. Ela criticou o marxismo clássico por sua incapacidade de identificar e localizar as raízes da opressão das mulheres. A teoria marxista pode explicar por que a exploração das mulheres é útil para o sistema capitalista, mas não consegue explicar a ubiquidade da opressão feminina nas sociedades não capitalistas. Engels viu a opressão do sexo como parte da herança capitalista, mas sugeriu que as "relações da sexualidade" deveriam ser distinguidas das "relações de produção". Rubin trata de resolver as lacunas de ambas as teorias, ao localizar a origem da opressão das mulheres no tráfico de mulheres: a troca das mulheres por propriedade ou por casamento, em sistemas de parentesco, estava baseada na noção de que as mulheres, pela natureza de seu gênero, não possuíam direitos plenos. A conceptualização que Levi-Strauss faz do sistema de parentesco está baseada em várias suposições sobre a universalidade e sobre a organização da sexualidade humana em todas as culturas: a existência do tabu do incesto, a heterossexualidade obrigatória e a desigualdade entre os sexos.

Reforçando algumas das ideologias do feminismo, o movimento dos direitos gays, que ganhou força a partir de uma crescente subcultura urbana, também colocou em questão as categorias ocidentais da masculinidade, da feminilidade e da sexualidade normativa, bem como a própria noção de corpo (Lancaster e di Leonardo, 1997; Parker e Barbosa, 1996). Nessa operação, o ativismo gay iniciou um questionamento mais amplo dos pressupostos heterossexistas da lei, da ciência, da psicologia e das teorias de parentesco. Combinado com o feminismo, esse movimento gerou formas alternativas de perceber e incorporar a sexualidade, bem como a coesão e o desejo políticos necessários para alterar as normas e os valores ocidentais sobre a sexualidade. O movimento negro de reivindicação de direitos civis aumentou a consciência de que as ideologias da sexualidade estão carregadas de pressupostos sobre raça, classe e nacionalidade. Isso deu uma nova dimensão à pesquisa sobre sexualidade. Por causa da ligação irrefutável entre sexualidade e poder, os/as intelectuais mantêm-se atentos à forma como as políticas de raça e etnicidade moldam a expressão da sexualidade (Lancaster e di Leonardo, 1997; Parker e Barbosa, 1996).

Lancaster, por exemplo, em sua investigação etnográfica sobre a "cultura do machismo" na Nicarágua, antes e depois da contrarrevolução patrocinada pelos Estados Unidos, contrasta a forma como a masculinidade na Nicarágua é construída em oposição à noção anglo-europeia de queer – ele contrasta o *cochón* da Nicarágua aos construtos norte-americanos e da Europa ocidental, os quais são dependentes da repressão da homossexualidade (Lancaster, 1992, 1995). Ele também retoma e reformula, no contexto da economia política, os temas de Rubin, argumentando que a dinâmica de poder nas relações de gênero da cultura do machismo somente pode ser reconhecida e analisada através de sua contextualização no cenário macropolítico da Nicarágua nos anos oitenta. É parte integrante de seu trabalho a noção de Rubin (1984) de que a sexualidade e o gênero devem ser conceptualizados como categorias separadas, ainda que intimamente ligadas. Lancaster vê ainda outras falhas, na teoria marxista, no que se refere à compreensão da dinâmica de gênero. O paradigma marxista tradicional, que concebe a existência de uma superestrutura cultural apoiada, de forma determinista, sobre uma base econômica, tomado como uma explicação para as relações de gênero, reduz a complexidade da experiência vivida das pessoas e deixa de perceber as interações multidirecionais entre gênero, sexualidade, classe e poder.

De acordo com o modelo de Lancaster, o "machismo" e a "sexualidade" são modos de produção materiais e simbólicos, formas de corporificação da vida em um contexto particular. Para ilustrar isso, ele descreve como a vida familiar nicaraguense – geralmente caracterizada por instabilidade, pelo abandono masculino e por relações de gênero passageiras – criou vulnerabilidades sociais que permitiram que a revolução Sandinista ganhasse impulso, servindo, ao mesmo tempo, como um barômetro, ao nível microssocial, do impacto da guerra sobre a vida cotidiana nicaraguense. Da mesma forma, Lancaster sugere que o corpo generificado ao mesmo tempo representa e reflete o corpo coletivo. Ele pode ser compreendido como um locus da história, do significado cultural e da experiência corporal: uma realidade socialmente construída que expressa, simultaneamente, processos sociais estruturais. Mapear a economia política do corpo significa traçar os valores sociais, culturais e econômicos produzidos a partir do corpo físico (Lancaster, 1992, 1995).

O trabalho que descreve o corpo como um produto material e simbólico da cultura e da sociedade propicia uma forma adicional de se reformular os estudos sobre a sexualidade. Em alguma medida, a teoria gay apesar de estar, muitas vezes, focalizada estritamente na política de identidade, tem contribuído para o desenvolvimento da literatura que questiona as análises baseadas na perspectiva anterior, mais reducionista, da economia política, ao aplicá-la – como faz a *História da sexualidade* de Foucault (1978) – ao corpo.

A pesquisa ativista iniciada em resposta à AIDS também tem impulsionado o campo, ao fazê-lo avançar para além de uma tendência favorável aos pressupostos ocidentais sobre a sexualidade (Manderson e Jolly, 1997). Pesquisadores tais como Dowsett (1990), Patton (1990), Watney (1989a, 1989b) e Treichler (1992) têm insistido na necessidade de se considerar a classe e a etnicidade como partes da pesquisa sobre a sexualidade. De forma mais ampla, começa a aparecer uma crescente literatura crítica, que examina o impacto do colonialismo e do neocolonialismo como contextos de poder nos quais os regimes de sexualidade são moldados (Hyam, 1990; Manderson e Jolly, 1997; Stoler, 1995; Young, 1995). Ao se utilizar a teoria da economia política para contextualizar os estudos da sexualidade, enfatizou-se o quanto muitas noções predominantes sobre sexualidade, gênero, desejo e eros são ainda alimentadas por uma mentalidade colonialista, que presume uma rigidez e uma consistência das categorias sexuais, ao longo das diversas culturas, um eu "egocêntrico" universalmente constituído e a durabilidade dos limites geográficos e culturais impostos pelos intelectuais ocidentais (Manderson e Jolly, 1997).

De fato, tais preocupações pós-coloniais têm-se tornado especialmente importantes na pesquisa social e cultural durante os derradeiros anos do século XX, caracterizados, como têm sido, por processos talvez sem precedentes de globalização econômica e cultural que ocorrem praticamente em todos os lugares ao redor do mundo (Manderson e Jolly, 1997). Qualquer que tenha sido o caso no passado, as noções de diferença sexual, no complexo sistema mundial que emergiu no final do século XX, não podem mais ser compreendidas como sendo simplesmente o produto de contextos sociais e culturais distintos. Pelo contrário, assim como qualquer outro aspecto da vida humana, a sexualidade tem, cada vez mais, se tornado sujeita a uma série de processos acelerados (e, frequentemente, desconexos) de mudança, que ocorrem no contexto da complexa globalização que tem marcado as décadas finais do século XX (Appadurai, 1996; Canclini, 1997; Harvey, 1990). Torna-se, então, crescentemente evidente que é apenas ao tentar interpretar as culturas sexuais locais como envolvidas pelas correntes que atravessam esses processos globais de mudança que seremos capazes de superar uma leitura geralmente superficial das similaridades e diferenças sexuais, para produzir uma compreensão intercultural mais abrangente das complexidades da experiência sexual no mundo contemporâneo (Altman, 1996; Parker e Gagnon, 1995; Parker, 1999). Isso não quer dizer, evidentemente, que todas as culturas sexuais são, de alguma forma, a mesma coisa, mas que nós apenas podemos começar a nos aproximar de uma compreensão de suas diferenças na medida em que formos capazes de situá-las no interior de processos mais amplos de mudança histórica, política e econômica, desenvolvendo o que poderia ser descrito como uma tensão analítica necessária entre uma ênfase nos significados culturais locais e uma compreensão de processos mais globais (Lancaster e di Leonardo, 1997; Manderson e Jolly, 1997; Parker e Gagnon, 1995; Parker e Easton, 1998).

Conclusão

Tem ocorrido, pois, ao longo da última década, uma série de mudanças importantes nas formas pelas quais a sexualidade humana tem sido investigada e analisada na pesquisa antropológica, sociológica e histórica. De forma crescente, particularmente nos anos oitenta e noventa, a atenção da pesquisa tem-se voltado para a construção social da vida sexual e para os complexos sistemas culturais e sociais que moldam e estruturam os contextos nos quais as interações sexuais têm lugar e adquirem significado para atores sociais específicos. Uma gama crescente de metodologias de pesquisa tem sido acrescentada às abordagens tradicionais que dominavam as pesquisas anteriores, buscando uma compreensão mais abrangente das muitas culturas, identidades e comunidades sexuais encontradas ao redor do globo.

Embora ainda haja, claramente, muito a ser feito para compreender mais completamente a diversidade e a variedade da experiência sexual humana, esses desenvolvimentos oferecem, não obstante, alguma esperança de que possa ser possível desenvolver uma gama de pesquisas mais diretamente relevantes e praticamente aplicáveis aos problemas mais imediatos enfrentados pelos sujeitos de investigação que vivem no mundo real. Particularmente, já começa a surgir um novo foco na relação entre questões que se centram na noção de significado e questões que se centram na noção de poder na organização da vida sexual. De forma talvez mais importante, a investigação das culturas sexuais tem-se tornado, num período de mudança global intensa, cada vez mais, ligada à análise dos sistemas políticos e econômicos. Da mesma forma, questões relativas ao significado têm sido integradas com questões relativas à estrutura, na busca do desenvolvimento de uma compreensão comparativa mais abrangente da experiência sexual humana, em toda sua diversidade e especificidade histórica.

Ao questionar a naturalização das relações reprodutivas e sexuais, chamando atenção para o fato de que a sexualidade tem uma história e que ela deve ser compreendida como um construto social e cultural, a recente pesquisa social e cultural sobre a sexualidade tem destacado a potencialidade de diversas culturas e comunidades sexuais para remoldarem e reestruturarem os contornos de suas próprias experiências. Isso coloca uma atenção renovada no fato de que a desigualdade de gênero e a opressão sexual não são fatos imutáveis da natureza, mas sim artefatos da história, ajudando a nos fazer lembrar que as estruturas da desigualdade e da injustiça, que tão frequentemente parecem organizar o campo sexual, bem como outras formas de injustiça social, podem, de fato, ser transformadas através da ação intencional e de iniciativas políticas progressistas. Embora haja, ainda, muito a ser feito na tentativa de construir uma compreensão comparativa mais alargada da sexualidade humana, esses desenvolvimentos recentes sugerem algumas das questões centrais que nos confrontam no momento em que o século XX se encerra. Eles também sugerem alguns dos caminhos que poderíamos esperar ver explorados, produtivamente, no futuro, pela pesquisa antropológica sobre sexo.

Agradecimentos

O presente texto baseia-se bastante num ensaio anterior preparado para publicação no *Annual review of sex research*, escrito em coautoria com Delia Easton. Queria agradecer à Associação Brasileira Interdisciplinar de AIDS, ao Instituto de Medicina Social da Universidade do Estado do Rio de Janeiro, e ao HIV Center for Clinical and Behavioral Studies e à Sociomedical Science Division da Joseph L. Mailman School of Public Health, da Universidade de Columbia, pelo apoio institucional ao longo de vários anos.

Referências

AGGLETON, Peter (org.). *Bisexualities and AIDS: international perspectives*. Londres: Taylor e Francis, 1996.

AINA, Tade. "Patterns of bisexuality in Sub-Saharan Africa". In Rob Tielman, Manuel Carballo, Aart Hendriks (orgs.), *Bisexuality and HIV/AIDS*. Buffalo: Prometheus Press, 1991. p. 81-90.

ALMOGUER, Tomás. "Chicano Men: A cartography of homosexual identity and behavior". *Differences: a journal of feminist cultural studies* 3(2), 1991. p. 75-100.

ALONSO, Ana Maria, e Koreck, Maria Teresa. "Silences: 'Hispanics', AIDS, and sexual practices". *Differences: a journal of feminist cultural studies* 1, 1989. p. 101-124.

ALTMAN, Dennis. "Political sexualities: meaning and identities in the time of AIDS". In Richard G. Parker e John H. Gagnon (orgs.), *Conceiving sexuality: approaches to sex research in a postmodern world*. Nova York: Routledge, 1995. p. 97-108.

ALTMAN, Dennis. "Rupture or continuity?: the internationalization of gay identities". *Social text*. 14(3), 1996. p. 78-94.

APPADURAI, Arjun. *Modernity at large: cultural dimensions of globalization*. Minneapolis e Londres: University of Minnesota Press, 1996.

BAO, Daniel. "Invertidos sexuales, tortilleras, and maricas machos: the construction of homosexuality in Buenos Aires, 1900-1950". *Journal of homosexuality* 24, 1993. p. 183-219.

BLACKWOOD, Evelyn (org.). *Anthropology and homosexual behavior*. Nova York: Haworth Press, 1986.

BLOCK, Miguel González e LIGOURI, Ana Luisa. *El SIDA en los estratos socioeconómicos de Mexico*. Cuernavaca: Instituto Nacional de Salud Pública, 1992.

CANCLINI, Néstor Garcia. *Culturas híbridas: estratégias para entrar e sair da modernidade*. São Paulo: Editora da Universidade de São Paulo, 1997.

CAPLAN, Pat (org.). *The cultural construction of sexuality*. Londres: Tavistock Publications, 1987.

CARRIER, Joseph M. "*Mexican male bisexuality*". *Journal of homosexuality* 11, 1985. p. 75-85.

CARRIER, Joseph M. *De los outros: intimacy and homosexuality among Mexican men*. New York: Columbia University Press, 1995.

CHAUNCEY, George. *Gay New York: gender, urban culture, and the making of the gay male world*, 1890-1940. Nova York: Basic Books, 1994.

CONNELL, Robert W. e DOWSETT, Gary W. (orgs.). *Rethinking sex: social theory and sexuality research*. Carlton: Melbourne University Press, 1992.

DANIEL, Herbert e PARKER, Richard. *A terceira epidemia*. São Paulo: Iglu, 1991.

DANIEL, Herbert e PARKER, Richard. *Sexuality, politics and AIDS in Brazil*. Londres: The Falmer Press, 1993.

DOWSETT, Gary W. "*Sustaining safe sex: sexual practices, HIV and social context*". AIDS 7 (suppl. 1), 1993. p. S257-S262.

FOUCAULT, Michel. *The history of sexuality, Volume 1: an introduction*. Nova York: Pantheon, 1978.

FRY, Peter. *Para inglês ver: identidade e política na cultura brasileira*. Rio de Janeiro: Zahar, 1982.

FRY, Peter. "*Male homosexuality and spirit possession in Brazil*." Journal of homosexuality 11(3/4), 1985. p. 137-153.

FRY, Peter e MacRAE, Edward. *O que é homossexualidade*. São Paulo: Brasiliense, 1983.

GAGNON, John H. e SIMON, William. *Sexual conduct: the social sources of human sexuality*. Chicago: Aldine, 1973.

GEERTZ, Clifford. *Local knowledge*. Nova York: Basic Books, 1983.

GEVISSER, Mark e CAMERON, Edwin (orgs.). *Defiant desires: gay and lesbian lives in south Africa*. Nova York e Londres: Routledge, 1995.

GILMORE, David. *Manhood in the making: cultural concepts of masculinity*, New Haven e Londres: Yale University Press, 1990.

GINSBERG, Faye e RAPP, Rayna (orgs.). *Conceiving the new world order: the global politics of reproduction*. Berkeley e Los Angeles: University of California Press, 1995.

GREENBERG, David F. *The construction of homosexuality*. Chicago: The University of Chicago Press, 1988.

GREGOR, Thomas. *Anxious pleasures: the sexual lives of an amazonian people*. Chicago: The University of Chicago Press, 1985.

GUPTA, Geeta R. e WEISS, Ellen. "Women's lives and sex: implications for AIDS prevention". In Richard G. Parker e John H. Gagnon (orgs), *Conceiving sexuality: approaches to sex research in a postmodern world*. Londres e Nova York: Routledge, 1995. p. 259-270.

HARVEY, David. *The condition of postmodernity*. Cambridge e Oxford: Blackwell, 1990.

HAWKESWOOD, William G. One of the children: *gay black men in Harlem*. Berkeley e Los Angeles: University of California Press, 1996.

HEISE, Lori. "Violence, sexuality and women's lives". In Richard G. Parker e John H. Gagnon (orgs.), *Conceiving sexuality: approaches to sex research in a postmodern world*. Nova York e Londres: Routledge, 1995. p. 109-134.

HERDT, Gilbert. Guardians of the flutes: idioms of masculinity. Nova York: McGraw-Hill, 1981.

HERDT, Gilbert. *The sambia: ritual and gender in New Guinea*. Nova York: Holt, Rinehart, e Winston, 1987.

HERDT, Gilbert. *Same sex , different cultures: gays and lesbians across cultures*. Boulder e Oxford: Westview Press, 1997.

HERDT, Gilbert (org.). *Ritualized homosexuality in Melanesia*. Berkeley e Los Angeles: University of California Press, 1984.

HERDT, Gilbert (org.). *Gay culture in America: essays from the field*. Boston: Beacon Press, 1992.

HYAM, Robert. *Empire and sexuality: the British experience*. Manchester: Manchester University Press, 1990.

KENNEDY, Elizabeth e DAVIS, Madeline. *Boots of leather, slippers of gold: the history of a lesbian community*. Nova York: Penguin, 1993.

KIPPAX, Susan; CONNELL, Robert; DOWSETT, Gary e CRAWFORD, June. *Sustaining safe sex: gay communities respond to AIDS*. Londres: The Falmer Press, 1993.

KUTSCHE, Paul. "Two truths about Costa Rica". In Stephen O. Murray (org.), *Latin American male homosexualities*. Albuquerque: University of New Mexico Press, 1995. p. 111-137,

KUTSCHE, Paul e PAGE, J. Bryan. "Male sexual identity in Costa Rica". *Latin American anthropology review* 3, 1991. p. 7-14.

LANCASTER, Roger N. "Subject honor and object shame: the construction of male homosexuality and stigma in Nicaragua". *Ethnology* 27(2), 1988. p. 111-125.

LANCASTER, Roger N. *Life is hard: machismo, danger, and the intimacy of power in Nicaragua*. Berkeley e Los Angeles: University of California Press, 1992.

LANCASTER, Roger N. "'That we should all turn queer?": homosexual stigma in the making of manhood and the breaking of a revolution in Nicaragua". In Richard G. Parker e John H. Gagnon (orgs.), *Conceiving sexuality: approaches to sex research in a postmodern world*. Nova York e Londres: Routledge, 1995. p. 135-156.

LANCASTER, Roger N. "Sexual positions: caveats and second thoughts on 'Categories.'" *The Americas* 54 (1 July), 1997. p. 1-16.

LANCASTER, Roger N. e di LEONARDO, Micaela (orgs.). *The gender/sexuality reader: culture, history, political economy*. Nova York e Londres: Routledge, 1997.

LARVIE, Patrick. "Homophobia and the ethnoscape of sex work in Rio de Janeiro". In Gilbert Herdt (org.), *Sexual cultures and migration in the era of AIDS: anthropological and demographic perspectives*. Oxford: Clarendon Press, 1997. p. 143-164.

MacCORMACK, Carol e STRATHERN, Marilyn (orgs.). *Nature, culture, and gender*. Nova York: Cambridge University Press, 1980.

MacRAE, Edward. A *construção da igualdade: identidade sexual e política no Brasil da abertura*. Campinas: Unicamp, 1990.

MANDERSON, Lenore e JOLLY, Margaret (orgs.). *Sites of desire, economies of pleasure: sexualities in Asia and the Pacific*. Chicago: The University of Chicago Press, 1997.

ORTNER, Sherry B. e WHITEHEAD, Harriet (orgs.). *Sexual meanings: the cultural construction of gender and sexuality*. Cambridge: Cambridge University Press, 1981.

PAIVA, Vera. "Sexuality, condom use and gender norms among Brazilian teenagers". *Reproductive health matters* 2, 1993.

PARKER, Richard G. "Acquired immunodeficiency syndrome in urban Brazil". *Medical anthropology quarterly*. New series 1(2), 1987. p. 155-175.

PARKER, Richard G. "Youth, identity, and homosexuality: the changing shape of sexual life in Brazil. *Journal of homosexuality* 17(3/4), 1989. p. 267-287.

PARKER, Richard G. *Corpos, prazeres e paixões: cultura sexual no Brasil contemporâneo*. São Paulo: Best Seller, 1991.

PARKER, Richard. "Sexual cultures, HIV transmission, and AIDS prevention". *AIDS 8* (suppl), 1994. p. S309-S314.

PARKER, Richard G. *Beneath the Equator: cultures of desire, male homosexuality, and emerging gay communities in Brazil*. Nova York e Londres: Routledge, 1999.

PARKER, Richard G. e CARBALLO, Manuel. "Qualitative research on homosexual and bisexual behavior relevant to HIV/ AIDS". *The journal of sex research* 27(4), 1990. p. 497-525.

PARKER, Richard G., HERDT, Gilbert e CARBALLO, Manuel. "Sexual culture, HIV transmission, and AIDS research". *The journal of sex research* 28, 1991. p. 77-98.

PARKER, Richard G. et al. "AIDS prevention and gay community mobilization in Brazil". *Development* 2, 1995. p. 49-53.

PARKER, Richard G. e GAGNON, John H. (orgs.). *Conceiving sexuality: approaches to sex research in a postmodern world*. Nova York e Londres: Routledge, 1995.

PARKER, Richard e GALVÃO, Jane. *Quebrando o silêncio: mulheres e AIDS no Brasil*. Rio de Janeiro: ABIA/IMS-UERJ/ Relume-Dumará Editores, 1995.

PARKER, Richard e BARBOSA, Regina Maria. *Sexualidades brasileiras*. Rio de Janeiro: Relume-Dumará Editores, 1996.

PARKER, Richard e EASTON, Delia. "Sexuality, culture and political economy: recent developments in anthropological and cross-cultural sex research". *Annual review of sex research*. v.9, 1998.

PARKER, Richard e AGGETON, Peter (orgs.). *Culture, society and sexuality: a reader.* Londres: UCL Press, 1999.

PARKER, Richard; BARBOSA, Regina Maria e AGGLETON, Peter. *Framing the sexual subject: the politics of gender, sexuality and power.* Berkeley e Los Angeles: University of California Press, no prelo.

PERLONGHER, Néstor. *O negócio do michê.* São Paulo: Brasiliense, 1987.

PHETERSON, G. (org.). *A vindication of the rights of whores.* Seattle: The Seal Press, 1989.

PRIEUR, Annick. *Mema's house, Mexico City: on transvestites, queens and machos.* Chicago e Londres: The University of Chicago Press.

RUBIN, Gayle. "The traffic in women". In Reyna Reiter (org.), *Toward an antropology of women.* Nova York: Monthly Review Press, 1975.

RUBIN, Gayle. "Thinking sex: notes for a radical theory of the politics of sexuality." In Carole S. Vance (org.). *Pleasure and danger: exploring female sexuality.* Londres: Routledge e Kegan Paul, 1984. p. 267-319.

SHEPERD, Gill. "Rank, genders and homosexuality: mombasa as a key to understanding sexual options". In Pat Caplan (org.), *The cultural construction of sexuality.* Londres: Tavistock Publications, 1987.

SIMON, William e GAGNON, John H. "Sexual scripts". *Society*, 22. 1984. p. 53-60.

STEIN, Edward (org.). *Forms of desire: sexual orientation and the social constructionist controversy.* Nova York e Londres: Routledge, 1990.

STOLER, Ann Laura. *Race and the education of desire: Foucault's history of sexuality and the colonial order of things.* Durham: Duke University Press, 1995.

TAN, Michael. "From *bakla* to gay: shifting gender identities and sexual behaviors in thc Philippines". In Richard G. Parker e John H. Gagnon (orgs.), *Conceiving sexuality: approaches to sex research in a postmodern world*. Nova York e Londres: Routledge, 1995. p. 85-96.

ten BRUMMELHUIS, Han e HERDT, Gilbert (orgs.). *Culture and sexual risk*. Westport: Gordon & Breah.

VANCE, Carole S. "A antropologia redescobre a sexualidade: um comentário teórico". *Physis. Revista de saúde coletiva* 5(1). p. 7-31.

WATERS, Malcolm. *Globalization*. Londres e Nova York: Routledge, 1995.

WEEKS, Jeffrey. *Sexuality and its discontents: meanings, myths and modern sexualities*. Londres: Routledge e Kegan Paul, 1985.

WESTON, Kath. "Lesbian/gay studies in the house of anthropology". *Annual review of anthropology*, 22, 1993. p. 339-367.

WILSON, Carter. *Hidden in the blood: a personal investigation of AIDS in the Yucatan*. Nova York: Columbia University Press, 1995.

YOUNG, Robert J.C. *Colonial desire: hybridity in theory, culture and race*. Londres e Nova York: Routledge, 1995.

ZALDUONDO, Barbara. "Prostitution viewed cross-culturally: toward recontextualizing sex work in AIDS intervention research". *The journal of sex research* 33, 1991. p. 223-248.

ZALDUONDO, Barbara e BERNARD, Jean Maxius. "Meanings and consequences of sexual-economic exchange: gender, poverty and sexual risk behavior in Urban Haiti". In Richard G. Parker e John H. Gagnon (orgs), *Conceiving sexuality: approaches to sex research in a postmodern world*. Londres e Nova York: Routledge, 1995. p. 157-180.

ZALDUONDO, Barbara, HERNANDEZ-AVILA, Maurício e URIBE-Zuñiga, Patrícia. "Diversity in commercial sex work systems: preliminary findings from Mexico City and their implications for AIDS Intervention". In Lincoln C. Chen, Jaime Sepulveda Amor e Sheldon J. Segal (orgs.), *AIDS and women's reproductive health*. Nova York e Londres: Plenum Press, 1991. p. 179-194.

Corpos que pesam:
sobre os limites discursivos do "sexo"

Judith Butler

Por que nossos corpos deveriam terminar na pele?
Ou por que, além dos seres humanos, deveríamos considerar
também como corpos, quando muito,
apenas outros seres também encapsulados pela pele?
Donna Haraway, A manifesto for cyborgs

Se pensamos realmente no corpo como tal, não existe nenhum possível contorno do corpo como tal. Existem pensamentos sobre a sistematicidade do corpo, existem codificações que atribuem valores ao corpo. O corpo como tal não pode ser pensado e eu, certamente, não posso acessá-lo.
Gayatri Chakravorty Spivak, "In a word",
entrevista com Ellen Rooney

Não existe natureza alguma, apenas efeitos de natureza: desnaturalização ou naturalização.
Jacques Derrida, Donner le temps

Existe alguma forma de vincular a questão da materialidade[1] do corpo com a performatividade do gênero?[2]

---

[1] Este texto é a tradução do capítulo introdutório do livro de Judith Butler, *Bodies that matter*, publicado por Routledge, Nova York e Londres, 1993. Nesta tradução suprimiram-se as notas e a seção "Trajectory of the text" que apresenta os capítulos subsequentes do livro (N.E.)

[2] Traduzi o título deste ensaio, dado a partir do título do livro de onde foi extraído, *Bodies that matter*, como "Corpos que pesam" para conservar parte

E como a categoria do "sexo" figura no interior de uma tal relação? Consideremos, primeiramente, que a diferença sexual é frequentemente evocada como uma questão referente a diferenças materiais. A diferença sexual, entretanto, não é, nunca, simplesmente, uma função de diferenças materiais que não sejam, de alguma forma, simultaneamente marcadas e formadas por práticas discursivas. Além disso, afirmar que as diferenças sexuais são indissociáveis de uma demarcação discursiva não é a mesma coisa que afirmar que o discurso causa a diferença sexual. A categoria do "sexo" é, desde o início, normativa: ela é aquilo que Foucault chamou de "ideal regulatório". Nesse sentido, pois, o "sexo" não apenas funciona como uma norma, mas é parte de uma prática regulatória que produz os corpos que governa, isto é, toda força regulatória manifesta-se como uma espécie de poder produtivo, o poder de produzir – demarcar, fazer, circular, diferenciar – os corpos que ela controla. Assim, o "sexo" é um ideal regulatório cuja materialização é imposta: esta materialização ocorre (ou deixa de ocorrer) através de certas práticas altamente reguladas. Em outras palavras, o "sexo" é um construto ideal que é forçosamente materializado através do tempo. Ele não é um simples fato ou a condição

---

do jogo que a autora faz com a palavra "matter". Em inglês o verbo "to matter" significa "importar", "ter importância" e o substantivo "matter" significa, entre outras coisas, "matéria". "Bodies that matter", portanto, pode ser traduzido, literalmente, como "Corpos que importam", "Corpos que têm importância", mas esta tradução deixa fora, evidentemente, o jogo com "matéria", palavra importante para a argumentação da autora. O "pesam" de "Corpos que pesam" apenas obliquamente evoca a "matéria" enfatizada pela autora, ao evocar uma propriedade da matéria, o "peso". Conservei a mesma tradução nas passagens do texto em que a autora volta a utilizar o mesmo jogo de palavras. (N.T.)

estática de um corpo, mas um processo pelo qual as normas regulatórias materializam o "sexo" e produzem essa materialização através de uma reiteração forçada destas normas. O fato de que essa reiteração seja necessária é um sinal de que a materialização não é nunca totalmente completa, que os corpos não se conformam, nunca, completamente, às normas pelas quais sua materialização é imposta. Na verdade, são as instabilidades, as possibilidades de rematerialização, abertas por esse processo, que marcam um domínio no qual a força da lei regulatória pode se voltar contra ela mesma para gerar rearticulações que colocam em questão a força hegemônica daquela mesma lei regulatória.

Mas como, então, a noção de performatividade de gênero se relaciona com essa concepção de materialização? No primeiro caso, a performatividade deve ser compreendida não como um "ato" singular ou deliberado, mas, em vez disso, como a prática reiterativa e citacional[3] pela qual o discurso produz os efeitos que ele nomeia. O que, eu espero, se tornará claro no que vem a seguir é que as normas regulatórias do "sexo" trabalham de uma forma performativa para constituir a materialidade dos corpos e, mais especificamente, para materializar o sexo do corpo, para materializar a diferença sexual a serviço da consolidação do imperativo heterossexual.

Nesse sentido, o que constitui a fixidez do corpo, seus contornos, seus movimentos, será plenamente material, mas

---

[3] "Citacional" e "citacionalidade" (em inglês, "citational" e "citationality"), como a autora deixará claro, são conceitos utilizados por Jacques Derrida. Eles aparecem exatamente nessa forma em pelo menos uma das traduções de Derrida: "Assinatura, acontecimento, contexto", in Derrida, s. d. (por exemplo, p. 428).

a materialidade será repensada como o efeito do poder, como o efeito mais produtivo do poder. Não se pode, de forma alguma, conceber o gênero como um construto cultural que é simplesmente imposto sobre a superfície da matéria – quer se entenda essa como o "corpo", quer como um suposto sexo. Em vez disso, uma vez que o próprio "sexo" seja compreendido em sua normatividade, a materialidade do corpo não pode ser pensada separadamente da materialização daquela norma regulatória. O "sexo" é, pois, não simplesmente aquilo que alguém tem ou uma descrição estática daquilo que alguém é: ele é uma das normas pelas quais o "alguém" simplesmente se torna viável, é aquilo que qualifica um corpo para a vida no interior do domínio da inteligibilidade cultural.

O que está em jogo nessa reformulação da materialidade dos corpos é o seguinte: (1) a remodelação da matéria dos corpos como efeito de uma dinâmica do poder, de tal forma que a matéria dos corpos será indissociável das normas regulatórias que governam sua materialização e a significação daqueles efeitos materiais; (2) o entendimento da performatividade não como o ato pelo qual o sujeito traz à existência aquilo que ela ou ele nomeia, mas, em vez disso, como aquele poder reiterativo do discurso para produzir os fenômenos que ele regula e constrange; (3) a construção do sexo não mais como um dado corporal sobre o qual o construto do gênero é artificialmente imposto, mas como uma norma cultural que governa a materialização dos corpos; (4) repensar o processo pelo qual uma norma corporal é assumida, apropriada, adotada: vê-la não como algo, estritamente falando, que se passa com um sujeito, mas, em vez disso, que o sujeito, o "eu" falante, é formado em virtude de ter passado por esse processo de assumir um sexo; e (5) uma vinculação desse processo de "assumir" um sexo com a questão da *identificação* e com os meios discursivos pelos quais o imperativo heterossexual possibilita certas identificações sexuadas e impede ou nega outras identificações. Esta matriz excludente pela qual os sujeitos são formados exige, pois, a produção simultânea de um domínio de seres abjetos, aqueles que ainda não são "sujeitos", mas que formam o exterior constitutivo relativamente ao domínio do sujeito. O abjeto designa aqui precisamente aquelas zonas "inóspitas" e "inabitáveis" da vida social, que são, não obstante, densamente povoadas por aqueles que não gozam do *status* de sujeito, mas cujo habitar sob o signo do "inabitável" é necessário para que o domínio do sujeito seja circunscrito. Essa zona de inabitabilidade constitui o limite definidor do domínio do sujeito; ela constitui aquele local de temida identificação contra o qual – e em virtude do qual – o domínio do sujeito circunscreverá sua própria reinvindicação de direito à autonomia e à vida. Neste sentido, pois, o sujeito é constituído através da força da exclusão e da abjeção, uma força que produz um exterior constitutivo relativamente ao sujeito, um exterior abjeto que está, afinal, "dentro" do sujeito, como seu próprio e fundante repúdio.

A formação de um sujeito exige uma identificação com o fantasma normativo do sexo: essa identificação ocorre através de um repúdio que produz um domínio de abjeção, um repúdio sem o qual o sujeito não pode emergir. Trata-se de um repúdio que cria a valência da "abjeção" – e seu *status* para o sujeito – como um espectro ameaçador. Além disso, a materialização de um dado sexo diz respeito, centralmente, à *regulação de práticas identificatórias*, de forma que a identificação com a abjeção do sexo será persistentemente negada. E, contudo, essa abjeção negada ameaçará denunciar as presunções autofundantes do sujeito sexuado, fundado como está aquele sujeito num repúdio cujas consequências não pode plenamente controlar. A tarefa consistirá em considerar essa ameaça e perturbação não como um questionamento permanente das normas sociais, condenado ao *pathos* do fracasso perpétuo, mas, em vez disso, como um recurso crítico na luta para rearticular os próprios termos da legitimidade e da inteligibilidade simbólicas.

Por último, a mobilização das categorias do sexo no interior do discurso político será assombrada, sob certos aspectos, pelas próprias instabilidades que as categorias efetivamente produzem e integram. Embora os discursos políticos que mobilizam as categorias de identidade tendam a cultivar identificações a serviço de um objetivo político, pode ocorrer que a persistência da desidentificação seja igualmente crucial para a rearticulação da contestação democrática. De fato, pode ocorrer que tanto a política feminista quanto a política queer[4] sejam mobilizadas precisamente através de práticas que enfatizem a desidentificação com aquelas normas regulatórias pelas quais a diferença

[4] O termo "queer" tem sido usado, na literatura anglo-saxônica, para englobar os termos "gay" e "lésbica". Historicamente, "queer" tem sido empregado para se referir, de forma depreciativa, às pessoas homossexuais. Sua utilização pelos ativistas dos movimentos homossexuais constitui uma tentativa de recuperação da palavra, revertendo sua conotação negativa original. Essa utilização renovada da palavra "queer" joga também com um de seus outros significados, o de "estranho". Os movimentos homossexuais falam, assim de uma política queer ou de uma teoria queer. (N.T.)

sexual é materializada. Essas desidentificações coletivas podem facilitar uma recontextualização da questão de se saber quais corpos pesam e quais corpos ainda devem emergir como preocupações que possam ter um peso crítico.

Da construção à materialização

A relação entre cultura e natureza, pressuposta por alguns modelos do gênero como construção, supõe uma cultura ou uma agência do social que age sobre uma natureza, a qual é, ela própria, pressuposta como uma superfície passiva, fora do social, mas sua necessária contraparte. Uma questão que as feministas têm levantado é, pois, a de saber se o discurso que descreve a ação da construção como uma espécie de impressão ou imposição não seria taticamente masculinista, enquanto a figura da superfície passiva esperando aquele ato de penetração pelo qual o significado é atribuído não seria, taticamente, ou – talvez – bastante obviamente feminino. Estará o sexo para o gênero assim como o feminino está para o masculino?

Outras estudiosas feministas têm argumentado que o próprio conceito de natureza precisa ser repensado, pois o conceito de natureza tem uma história e a descrição da natureza como uma página em branco e sem vida, como aquilo que está, por assim dizer, quase sempre morto, é decididamente moderna, vinculada talvez à emergência dos meios tecnológicos de dominação. De fato, algumas pessoas têm argumentado que o repensar da natureza como um conjunto de inter-relações dinâmicas é apropriado tanto para objetivos feministas quanto para objetivos ecológicos (tendo produzido, para algumas pessoas, uma aliança com o trabalho de Gilles Deleuze que, se não fosse isso, seria bastante improvável). Esse repensar também coloca em questão o modelo de construção pelo qual o social atua unilateralmente sobre o natural e o investe com seus parâmetros e seus significados. De fato, embora a radical distinção entre sexo e gênero tenha sido crucial à versão beauvoiriana do feminismo, ela tem sido criticada, mais recentemente, por degradar o natural como aquilo que existe "antes" da inteligibilidade, como aquilo que precisa da marca do social, quando não da sua ferida, para significar, para ser conhecido, para adquirir valor. Essa forma de ver a questão deixa de compreender não apenas que a natureza tem uma história (e não meramente uma história social) mas, também, que o sexo está posicionado de forma ambígua em relação àquele conceito e à sua história. O conceito de "sexo" é, ele próprio, um terreno conflagrado, formado através de uma série de contestações em torno de qual deve ser o critério decisivo para distinguir entre os dois sexos; o conceito de sexo tem uma história que fica ocultada pela figura do lugar ou da superfície de inscrição. Descrito como um tal lugar ou superfície, entretanto, o natural é construído como aquilo que é também sem valor; além disso, ele assume seu valor ao mesmo tempo que assume seu caráter social, isto é, ao mesmo tempo que renuncia ao natural. De acordo com essa visão, pois, a construção social do natural pressupõe o cancelamento do natural pelo social. Na medida em que depende dessa construção, a distinção sexo/gênero faz água ao longo de linhas paralelas: se o gênero é o significado social que o sexo assume no interior de uma dada cultura – só para argumentar, deixaremos que "social" e "cultural" permaneçam em uma desconfortável intercambialidade – então, o que sobra do "sexo", se é que sobra alguma coisa, uma vez que ele tenha assumido o seu caráter social como gênero? O que está em questão aqui é o significado de "assunção", onde ser "assumido" significa ser levado para uma esfera mais elevada como em "a Assunção da Virgem". Se o gênero consiste dos significados sociais que o sexo assume, então o sexo não adquire significados sociais como propriedades aditivas, mas, em vez disso, é *substituído pelos* significados sociais que adota; o sexo é abandonado no curso dessa assunção e o gênero emerge não como um termo em uma permanente relação de oposição ao sexo, mas como um termo que absorve e desloca o "sexo", a marca de sua substanciação plena no gênero ou aquilo que, do ponto de vista materialista, pode constituir uma plena dessubstanciação.

Quando a distinção sexo/gênero se junta a um construcionismo[5] linguístico radical, o problema torna-se ainda pior, pois o "sexo" que é referido como sendo anterior ao gênero será ele mesmo uma postulação, uma construção, oferecida no interior da linguagem, como aquilo que é anterior à linguagem, anterior à construção. Mas esse sexo colocado como anterior à construção torna-se, em virtude de ser assim colocado, o efeito daquela mesma colocação: a construção da construção. Se o gênero é a construção social do sexo e se não existe nenhum acesso a esse "sexo" exceto por meio de sua construção, então parece não apenas que o sexo é absorvido pelo gênero, mas que o "sexo" torna-se

[5] No original, "*constructivism*". Traduzi por "construcionismo" para evitar associações com o construtivismo psicológico de inspiração piagetiana. Pela mesma razão, traduzi "*constructivist*" por "construcionista" (N.T.)

algo como uma ficção, talvez uma fantasia, retroativamente instalado em um local pré-linguístico ao qual não existe nenhum acesso direto.

Mas é certo afirmar que o "sexo" desaparece totalmente, que ele é uma ficção sobre e contra aquilo que é verdadeiro, que é uma fantasia sobre e contra o que é a realidade? Ou essas mesmas oposições precisam ser repensadas, de forma que se o "sexo" é uma ficção, trata-se de uma ficção no interior de cujas necessidades nós vivemos, sem a qual a própria vida seria impensável? E se o "sexo" é uma fantasia, trata-se, talvez, de um campo fantasmático que constitui o próprio terreno da inteligibilidade cultural? Um tal repensar das oposições convencionais implicaria um repensar do "construcionismo" em seu sentido usual?

A posição construcionista radical tende a produzir a premissa que tanto refuta quanto confirma seu próprio empreendimento. Se essa teoria não pode dar conta do sexo como local ou superfície sobre o qual ele age, então ela acaba por supor o sexo como não construído, admitindo, assim, os limites do construcionismo linguístico, inadvertidamente circunscrevendo aquilo que permanece não explicável no interior dos termos da construção. Se, por outro lado, o sexo é uma premissa fabricada, uma ficção, então o gênero não supõe o sexo sobre o qual ele age, mas, em vez disso, o conceito de gênero implica que um "sexo" pré-discursivo é uma falsidade, e o significado da construção torna-se o significado de um monismo linguístico, pelo qual tudo é, apenas e sempre, linguagem. Então, o que resulta é um exasperado debate que muitas de nós estamos cansadas de ouvir: ou (1) o construcionismo é reduzido à posição de um monismo linguístico, pelo qual se entende que a construção linguística é gerativa e determinista (pode-se ouvir os críticos que fazem essa suposição dizerem: "se tudo é discurso, o que ocorre, então, com o corpo?") ou (2) quando a construção é figurativamente reduzida a uma ação verbal que parece pressupor um sujeito, podemos ouvir os críticos que trabalham no interior dessa pressuposição dizerem: "se o gênero é construído, então quem faz a construção?"; embora, obviamente, (3) a formulação mais pertinente desta questão é a seguinte: "se o sujeito é construído, quem, então, constrói o sujeito?" No primeiro caso a construção toma o lugar de uma agência, à semelhança de Deus, que pode não apenas causar mas compor tudo o que é seu objeto; trata-se da performatividade divina, trazendo à existência – exaustivamente constituindo – aquilo que nomeia, ou, em vez disso, trata-se daquela espécie de referenciamento transitivo que nomeia e inaugura ao mesmo tempo. Para que algo seja construído, de acordo com essa visão de construção, é preciso que esse algo seja criado e determinado através desse processo.

No segundo e terceiro casos, as seduções da gramática parecem assumir o controle; o crítico pergunta: não deve haver um agente humano, um sujeito, se quiserem, que guie o curso da construção? Se a primeira versão do construcionismo supõe que a construção age de forma determinística, fazendo, da agência humana, uma caricatura, a segunda compreende o construcionismo como pressupondo um sujeito voluntarista que faz o seu gênero através de uma ação instrumental. A construção é entendida, nesse último caso, como uma espécie de artifício manipulável, uma concepção que não apenas pressupõe um sujeito, mas reabilita precisamente o sujeito voluntarista do humanismo, que o construcionismo, em certos momentos, buscou colocar em questão.

Se o gênero é uma construção, deve haver um "eu" ou um "nós" que executa ou desempenha essa construção? Como pode haver uma atividade no ato de construir sem que pressuponhamos um agente que precede e desempenha esta atividade? Como poderíamos explicar a motivação e a direção da construção sem esse sujeito? Além disso, eu sugeriria que é preciso uma certa desconfiança relativamente à gramática para conceber o tema sob uma luz diferente. Pois se o gênero é construído, ele não é necessariamente construído por um "eu" ou um "nós" que se coloca antes daquela construção em qualquer sentido espacial ou temporal de "antes". De fato, não fica claro que possa haver um "eu" ou um "nós" que não tenha sido submetido, que não tenha sido sujeitado ao gênero, onde a generificação é construída, entre outras coisas, pelas relações diferenciadoras pelas quais os sujeitos falantes se transformam em ser. Submetido ao gênero, mas subjetivado pelo gênero, o "eu" não precede nem segue o processo dessa generificação, mas emerge apenas no interior das próprias relações de gênero e como a matriz dessas relações.

Isso nos faz retornar à segunda objeção, aquela que afirma que o construcionismo impede a agência, usurpa a agência do sujeito, e que ele próprio pressupõe o sujeito que ele questiona. Afirmar que o sujeito é ele próprio produzido em – e como – uma matriz generificada de relações não significa descartar o sujeito, mas apenas perguntar pelas condições de sua emergência e operação. A "atividade" dessa generificação não pode, estritamente falando, ser um ato ou uma expressão humana, uma apropriação intencional, e *não é*, certamente, uma questão de se vestir uma máscara; trata-se da matriz através da qual toda intenção torna-se inicialmente possível, sua condição cultural possibilitadora. Nesse sentido, a matriz das relações de gênero é anterior à emergência do "humano". Consideremos a interpelação médica que, apesar da emergência recente das ecografias, transforma uma criança, de um ser "neutro" em um "ele ou em uma "ela": nessa nomeação, a garota *torna-se* uma garota, ela é trazida para o domínio da linguagem e do parentesco através da interpelação do gênero. Mas esse *tornar-se garota* da garota não termina ali; pelo contrário, essa interpelação fundante é reiterada por várias autoridades, e ao longo de vários intervalos de tempo, para reforçar ou constestar esse efeito naturalizado. A nomeação é, ao mesmo tempo, o estabelecimento de uma fronteira e também a inculcação repetida de uma norma.

Estas atribuições ou interpelações alimentam aquele campo de discurso e poder que orquestra, delimita e sustenta aquilo que pode legitimamente ser descrito como "humano". Nós vemos isto mais claramente nos exemplos daqueles seres abjetos que não parecem apropriadamente generificados; é sua própria humanidade que se torna questionada. Na verdade, a construção do gênero atua através de meios excludentes, de forma que o humano é não apenas produzido sobre e contra o inumano, mas através de um conjunto de exclusões, de apagamentos radicais, os quais, estritamente falando, recusam a possibilidade de articulação cultural. Portanto, não é suficiente afirmar que os sujeitos humanos são construídos, pois a construção do humano é uma operação diferencial que produz o mais e o menos "humano", o inumano, o humanamente impensável. Esses locais excluídos vêm a limitar o "humano" com seu exterior constitutivo, e a assombrar aquelas fronteiras com a persistente possibilidade de sua perturbação e rearticulação.

Paradoxalmente, a investigação sobre os tipos de apagamento e exclusões pelos quais a construção do sujeito atua não é mais construcionismo, mas também não é essencialismo. Pois existe um "exterior" relativamente àquilo que é construído pelo discurso, mas não se trata de um "exterior" absoluto, um "lá" ontológico que excede ou contraria as fronteiras do discurso; como um "exterior" constitutivo ele é aquilo que pode apenas ser pensado – quando pode – em relação àquele discurso, nas suas – e com as suas – mais tênues fronteiras. O debate entre o construcionismo e o essencialismo deixa assim de perceber totalmente a desconstrução, pois o argumento nunca foi o de que "tudo é discursivamente construído"; esse argumento, quando e onde é levantado, pertence a um tipo de monismo, ou linguisticismo discursivo, que recusa a força constitutiva da exclusão, do apagamento, de uma violenta forclusão, da abjeção e de seu retorno perturbador no interior dos próprios termos da legitimidade discursiva.

E dizer que existe uma matriz de relações de gênero que institui e sustenta o sujeito não significa afirmar que existe uma matriz singular que age de uma forma singular e determinista para produzir um sujeito como seu efeito. Significa instalar essa "matriz" na posição-de-sujeito, no interior de uma formulação gramatical que necessita, ela própria, ser repensada. De fato, a forma proposicional "o discurso constrói o sujeito" retém a posição-de-sujeito da formulação gramatical mesmo quando ela reverte o lugar do sujeito e do discurso. A construção deve significar mais que essa simples inversão dos termos.

Existem tanto defensores quanto críticos da construção que constroem essa posição em termos estruturalistas. Eles frequentemente afirmam que existem estruturas que constroem o sujeito, forças impessoais, tais como a Cultura ou o Discurso ou o Poder, onde esses termos ocupam o lugar gramatical do sujeito depois que o "humano" foi desalojado de seu lugar. Nessa visão, o lugar gramatical e metafísico do sujeito é retido, mesmo quando o candidato que ocupa aquele lugar parece ter sido submetido a uma rotação. Como resultado, a construção é ainda entendida como um processo unilateral, iniciado por um sujeito anterior, fortalecendo aquela suposição da metafísica do sujeito de que onde existe atividade, ali espreita, por detrás, um sujeito iniciador e intencional. De acordo com essa visão, o discurso ou a linguagem ou o social tornam-se personificados e, nessa personificação, a metafísica do sujeito é reconsolidada.

Nesta segunda visão, a construção não é uma atividade, mas um ato, um ato que acontece uma vez e cujos efeitos estão firmemente fixados. Assim, o construcionismo é reduzido ao determinismo e implica a evacuação ou o deslocamento da agência humana.

Essa visão está na base de uma certa leitura equivocada de Foucault, pela qual ele é criticado por "personificar" o poder: se o poder é equivocadamente construído como um sujeito gramatical e metafísico, e se aquele local metafísico no interior do discurso humanista tem sido o local privilegiado do humano, então o poder parece ter deslocado o humano como a origem da atividade. Mas se a visão de poder de Foucault é entendida como a perturbação e subversão dessa gramática e metafísica do sujeito, se o poder orquestra a formação e a sustentação dos sujeitos, então ele não pode ser responsabilizado em termos do "sujeito" que é seu efeito. E aqui não seria tampouco correto afirmar que o termo "construção" pertence ao lugar gramatical do sujeito, pois a construção não é nem o sujeito, nem o seu ato, mas um processo de reiteração pelo qual tanto os "sujeitos" quanto os "atos" vêm a aparecer totalmente. Não existe nenhum poder que atue, mas apenas uma atuação reiterada, que é poder em sua persistência e instabilidade.

O que eu proporia no lugar dessas concepções de construção é um retorno à noção de matéria, não como local ou superfície, mas como *um processo de materialização que se estabiliza ao longo do tempo para produzir o efeito de fronteira, de fixidez e de superfície – daquilo que nós chamamos matéria*. O fato de que a matéria é sempre materializada tem que ser pensado, na minha opinião, em relação aos efeitos produtivos e, na verdade, materializadores do poder regulatório, no sentido foucaultiano. Assim, a questão não é mais "como o gênero é constituído como – e através de – uma certa interpretação do sexo" (uma questão que deixa de teorizar a "matéria" do sexo), mas, em vez disso, "através de que normas regulatórias é o próprio sexo materializado?" E por que é que tratar a materialidade do sexo como um dado pressupõe e consolida as condições normativas de sua própria emergência?

Crucialmente, pois, a construção não é nenhum marco singular, nem um processo causal iniciado por um sujeito, culminando em um conjunto de efeitos fixos. A construção não apenas ocorre *no* tempo, mas é, ela própria, um processo temporal que atua através da reiteração de normas; o sexo é produzido e, ao mesmo tempo, desestabilizado no curso dessa reiteração. Como um efeito sedimentado de uma prática reiterativa ou ritual, o sexo adquire seu efeito naturalizado e, contudo, é também, em virtude dessa reiteração, que fossos e fissuras são abertos, fossos e fissuras que podem ser vistos como as instabilidades constitutivas dessas construções, como aquilo que escapa ou excede a norma, como aquilo que não pode ser totalmente definido ou fixado pelo trabalho repetitivo daquela norma. Esta instabilidade é a possibilidade desconstitutiva no próprio processo de repetição, o poder que desfaz os próprios efeitos pelos quais o "sexo" é estabilizado, a possibilidade de colocar a consolidação das normas do "sexo" em uma crise potencialmente produtiva.

Certas formulações da posição construcionista radical parecem produzir quase compulsivamente um momento de exasperação recorrente, pois parece que quando o construcionista é construído como um idealista linguístico, ele refuta a realidade dos corpos, a relevância da ciência, os alegados fatos do nascimento, da velhice, da doença e da morte. O crítico pode também suspeitar uma certa somatofobia no construcionista e querer garantias de que este teórico abstraído admitirá que existem, minimamente, partes, atividades, capacidades sexualmente diferenciadas, e diferenças hormonais e de cromossomos, que podem ser admitidas como existentes, sem referência à "construção". Embora nesse momento eu queira oferecer uma garantia absoluta ao meu interlocutor, certa ansiedade ainda persiste. "Admitir" a inegabilidade do "sexo" ou sua "materialidade" significa sempre admitir alguma versão de "sexo", alguma formação de "materialidade". Não seria o discurso no – e através do – qual essa admissão ocorre (e, sim, é verdade que essa admissão invariavelmente ocorre na realidade), não seria este discurso, ele próprio, formativo do exato fenômeno que ele admite? Afirmar que o discurso é formativo não significa afirmar que ele origina, causa ou exaustivamente compõe aquilo que ele admite; em vez disso, significa afirmar que não existe nenhuma referência a um corpo puro que não seja, ao mesmo tempo, uma formação adicional daquele corpo. Nesse sentido, a capacidade linguística para se referir a corpos sexuados não é negada, mas o próprio significado de "referencialidade" é alterado. Em termos filosóficos, a afirmação constatativa é, sempre, em algum grau, performativa.

Em relação ao sexo, pois, se admitimos a materialidade do sexo ou a materialidade do corpo, significa que essa própria admissão atua – performativamente – para materializar aquele sexo? E, além disso, como é que a admissão reiterada daquele sexo – uma admissão que não ocorre na fala ou na escrita, mas pode ser "assinalada" de um modo muito mais informe – constitui a sedimentação e a produção daquele efeito material?

O crítico moderado poderia admitir que *alguma parte* do "sexo" é construída, mas que alguma outra certamente não é, e então, naturalmente, ele se acha não apenas obrigado, de alguma forma, a traçar a linha entre o que é e o que não é construído, mas também a explicar como é que o "sexo" vem em partes cuja diferenciação não é um objeto de construção. Mas à medida em que essa linha de demarcação entre essas partes ostensivas é traçada, o "não construído" torna-se limitado, uma vez mais, através de uma prática de significação, e a própria fronteira que deveria proteger alguma parte do sexo da mancha do construcionismo é agora definida pela própria construção do anticonstrucionista. É a construção algo que ocorre a um objeto que já vem pronto, uma coisa pré-dada? Ela ocorre *em graus*? Ou estamos nos referindo, talvez, em ambos os lados do debate, a uma inevitável prática de significação, de demarcação e delimitação daquilo ao qual nós, então, nos "referimos", de forma tal que nossas "referências" sempre pressupõem – e frequentemente ocupam – essa delimitação prévia? De fato, "referir-se" ingenuamente ou diretamente a um tal objeto extradiscursivo sempre exigirá a delimitação prévia do extradiscursivo. E, na medida em que o extradiscursivo é delimitado, ele é formado pelo próprio discurso do qual ele busca se libertar. Essa delimitação, que frequentemente é efetuada como uma pressuposição pouco teorizada em qualquer ato de descrição, marca uma fronteira que inclui e exclui, que decide, por assim dizer, o que será e o que não será o conteúdo do objeto ao qual nós então nos referimos. Esse processo de distinção terá alguma força normativa e, de fato, alguma violência, pois ele pode construir apenas através do apagamento; ele pode limitar uma coisa apenas através da imposição de um certo critério, de um princípio de seletividade.

O que será e o que não será incluído no interior das fronteiras do "sexo" será estabelecido por uma operação mais ou menos tácita de exclusão. Se nós questionamos a fixidez da lei estruturalista que divide e limita os "sexos" em virtude de sua diferenciação diádica no interior da matriz heterossexual, será a partir das regiões exteriores daquela fronteira (não de uma "posição", mas das possibilidades discursivas abertas pelo exterior constitutivo das posições hegemônicas), e isso constituirá o retorno perturbador do excluído a partir do interior da própria lógica do simbólico heterossexual.

A trajetória deste texto,[6] perseguirá, pois, a possibilidade desta perturbação, mas procederá de forma indireta, ao responder a duas questões inter-relacionadas que têm sido postas às descrições construcionistas do gênero, não para defender o construcionismo em si, mas para questionar os apagamentos e as exclusões que constituem seus limites. Essas críticas pressupõem um conjunto de oposições metafísicas entre materialismo e idealismo, que estão embutidas na gramática recebida que, eu argumentarei, são criticamente redefinidas por uma reescrita pós-estruturalista da performatividade discursiva na medida em que ela atua na materialização do sexo.

Performatividade como citacionalidade

Quando, no jargão lacaniano, diz-se que alguém assume[7] um "sexo", a gramática da frase cria a expectativa de que existe um "alguém", que ao despertar, faz uma verificação e decide qual "sexo" assumirá hoje, uma gramática na qual a "assunção" é rapidamente assimilada à noção de

---

[6] A autora se refere ao conjunto do livro, *Bodies that matter*, de onde este ensaio foi extraído. (N.T.)

[7] Como esclarece a autora no capítulo III, nota 4, p. 266 do livro de onde foi extraído este ensaio, *Bodies that matter*, o termo assunção refere-se à utilização que dele faz Lacan na frase seguinte, em Escritos: "Existe aí uma antinomia interna na assunção de seu sexo pelo homem (*Mensch*): por que deve ele assumir-lhe os atributos apenas através de uma ameaça, ou até mesmo sob o aspecto de uma privação?" (LACAN, 1998, p. 692). (N.T.)

uma escolha altamente reflexiva. Mas se essa "assunção" é *imposta* por um aparato regulatório de heterossexualidade, um aparato que reitera a si mesmo através da produção forçosa do "sexo", então a "assunção" do sexo é constrangida desde o início. E se existe uma *agência*, ela deve ser encontrada, paradoxalmente, nas possibilidades abertas naquela – e por aquela – apropriação constrangida da lei regulatória, pela materialização daquela lei, pela apropriação e identificação compulsória com aquelas demandas normativas. A formação, a manufatura, o suporte, a circulação, a significação daquele corpo sexuado – tudo isso não será um conjunto de ações executadas em obediência à lei; pelo contrário, será um conjunto de ações mobilizadas pela lei, será a acumulação citacional e a dissimulação da lei produzindo efeitos materiais, será a necessidade vivida daqueles efeitos e a contestação vivida daquela necessidade.

A performatividade não é, assim, um "ato" singular, pois ela é sempre uma reiteração de uma norma ou conjunto de normas. E na medida em que ela adquire o *status* de ato no presente, ela oculta ou dissimula as convenções das quais ela é uma repetição. Além disso, esse ato não é primariamente teatral; de fato, sua aparente teatralidade é produzida na medida em que sua historicidade permanece dissimulada (e, inversamente, sua teatralidade ganha uma certa inevitabilidade, dada a impossibilidade de uma plena revelação de sua historicidade). Na teoria do ato da fala, um ato performativo é aquela prática discursiva que efetua ou produz aquilo que ela nomeia. De acordo com o relato bíblico do performativo, isto é, "que se faça a luz", parece que é em virtude *do poder do sujeito ou de sua vontade* que um fenômeno é trazido, ao nomeá-lo, à existência. Numa reformulação crítica do performativo, Derrida deixa claro que esse poder não é a função de uma vontade originadora, mas é sempre derivativo:

> Poderia um enunciado performativo ser bem-sucedido se sua formulação não repetisse em um enunciado "codificado" ou iterável ou, em outras palavras, se a fórmula que pronuncio para abrir uma sessão, lançar um barco ou efetuar um casamento não fosse identificável como conforme a um modelo iterável, se ela não fosse, pois, identificável de alguma forma, como uma "citação"? [...] Nesta tipologia a categoria de intenção não desaparecerá, ela terá o seu lugar, mas a partir deste lugar, não poderá mais comandar todo o sistema e toda a cena da enunciação (Derrida, 1988, p. 18).[8]

Em que medida o discurso adquire a autoridade para produzir o que nomeia através da citação das convenções da autoridade? E um sujeito aparece como autor de seus efeitos discursivos na medida em que a prática citacional pela qual ele ou ela é condicionado e mobilizado permanece não marcada? Poderia ocorrer, na verdade, que a produção do sujeito como capaz de dar origem a seus efeitos é precisamente uma consequência dessa citacionalidade dissimulada? Além disso, se o sujeito vem a existir através de uma sujeição às normas do sexo, uma sujeição que exige uma assunção das normas do sexo, podemos ler aquela

---

[8] A tradução desta citação de Derrida foi tomada de Derrida, s. d., p. 428. A primeira frase da citação figura, na tradução portuguesa, como uma afirmação e não como uma interrogação, tal como está na tradução inglesa utilizada pela autora. Na impossibilidade de consultar o original francês optei por manter a interrogação suposta pela autora em sua argumentação. (N.T.)

assunção como precisamente uma modalidade desse tipo de citacionalidade? Em outras palavras, a norma do sexo assume o controle na medida em que ela é citada como uma tal norma, mas ela também deriva seu poder através das citações que ela impõe. E como é que nós poderemos ler a citação das normas do sexo como o processo de nos aproximar dessas normas ou de nos "identificar" com elas?

Além disso, em que medida, na psicanálise, o corpo sexuado é assegurado através de práticas identificatórias governadas por esquemas regulatórios? A identificação é usada aqui não como atividade imitativa pela qual um ser consciente modela-se de acordo com outro; pelo contrário, a identificação é a paixão assimiladora pela qual um ego inicialmente emerge. Freud (1960, p. 16) argumenta que "o ego é, primeiramente e acima de tudo, um ego corporal", que esse ego é, além disso, "uma projeção de uma superfície": aquilo que nós poderíamos redescrever como uma morfologia imaginária. Além disso, eu argumentaria, essa morfologia imaginária não é uma operação pré-simbólica ou pré-social, mas é, ela própria, orquestrada através de esquemas regulatórios que produzem possibilidades morfológicas inteligíveis. Esses esquemas regulatórios não são estruturas intemporais, mas critérios historicamente revisáveis de inteligibilidade que produzem e submetem corpos que pesam.

Se a formulação de um ego corporal, de um sentimento de contorno estável, se a fixação da fronteira espacial é obtida através de práticas identificatórias e se a psicanálise descreve o funcionamento hegemônico daquelas identificações, podemos, então, ler a psicanálise como uma descrição da matriz heterossexual ao nível da morfogênese corporal?

Aquilo que Lacan chama de "assunção" ou de "acesso" à lei simbólica pode ser lido como uma espécie de citação da lei e oferece, assim, uma oportunidade para se vincular a questão da materialização dos "sexos" à reformulação da performatividade como citacionalidade. Embora Lacan afirme que a lei simbólica tem um status semiautônomo, anterior à assunção de posições sexuadas por um sujeito, essas posições normativas, isto é, os "sexos", são conhecidos apenas através das aproximações que eles ocasionam. A força e a necessidade dessas normas (o "sexo" como uma função simbólica deve ser entendido como uma espécie de mandamento ou injunção) é, assim, funcionalmente dependente da aproximação e da citação da lei; a lei sem sua aproximação não é lei ou, em vez disso, ela permanece uma lei governante apenas para aqueles que a afirmariam com base na fé religiosa. Se o "sexo" é assumido da mesma forma que uma lei é citada, então a "lei do sexo" é repetidamente fortalecida e idealizada como a lei apenas na medida em que ela é reiterada como a lei, produzida como a lei – o ideal anterior e não aproximável – pelas próprias citações que ela diz comandar. Relendo o significado de "assunção" em Lacan como citação, a lei não é mais dada em uma forma fixa, *anteriormente* à sua citação, mas é produzida através da citação, como aquilo que precede e excede as aproximações mortais efetuadas pelo sujeito.

Dessa forma, a lei simbólica em Lacan pode estar sujeita ao mesmo tipo de crítica que Nietzsche formulou sobre a noção de Deus: o poder atribuído a esse poder prévio e ideal é derivado e desviado da própria atribuição. É esta compreensão sobre a ilegitimidade da lei simbólica do sexo que é dramatizada em certo grau no filme contemporâneo

Paris está em chamas: o ideal que é espelhado depende do fato de que aquele próprio espelhamento seja sustentado como um ideal. Embora o simbólico pareça ser uma força que não possa ser contrariada sem psicose, o simbólico deve ser repensado como uma série de injunções normativizantes que asseguram as fronteiras do sexo através da ameaça da psicose, da abjeção e da impossibilidade psíquica de viver. E, além disso, que essa "lei" pode apenas permanecer uma lei na medida em que ela impõe as citações e as aproximações diferenciadas chamadas "femininas" e "masculinas". A suposição de que a lei simbólica do sexo goza de uma ontologia separável, anterior e autônoma relativamente à sua assunção, é contrariada pela noção de que a citação da lei é precisamente o mecanismo de sua produção e articulação. O que é "forçado" pelo simbólico, pois, é uma citação de sua lei, a qual reitera e consolida o estratagema de sua própria força. O que significaria "citar" a lei para produzi-la diferentemente, "citar" a lei a fim de reiterar e cooptar seu poder, denunciar a matriz heterossexual e deslocar o efeito de sua necessidade?

O processo dessa sedimentação – ou daquilo que poderíamos chamar materialização – será uma espécie de citacionalidade, a aquisição do ser através da citação do poder, uma citação que estabelece uma cumplicidade originária com o poder na formação do "eu".

Nesse sentido, a agência denotada pela performatividade do "sexo" será diretamente contrária a qualquer concepção de um sujeito voluntarista que exista separadamente das normas regulatórias às quais ela ou ele se opõe. O paradoxo da subjetivação (*assujetissement*) reside precisamente no fato de que o sujeito que resistiria a essas normas é, ele próprio, possibilitado, quando não produzido, por essas normas. Embora esse constrangimento constitutivo não impeça a possibilidade da agência, ele localiza, sim, a agência como uma prática reiterativa ou rearticulatória imanente ao poder e não como uma relação de oposição externa ao poder.

Como resultado dessa reformulação da performatividade, (a) a performatividade de gênero não pode ser teorizada separadamente da prática forçosa e reiterativa dos regimes sexuais regulatórios; (b) a explicação da agência condicionada por aqueles próprios regimes de discurso/poder não pode ser confundida com o voluntarismo ou o individualismo, muito menos com o consumismo, e não pressupõe, de forma alguma, um sujeito que possa escolher; (c) o regime da heterossexualidade atua para circunscrever e contornar a "materialidade" do sexo e essa "materialidade" é formada e sustentada através de – e como – uma materialização de normas regulatórias que são, em parte, aquelas da hegemonia sexual; (d) a materialização de normas exige aqueles processos identificatórios pelos quais as normas são assumidas ou apropriadas, e essas identificações precedem e possibilitam a formação de um sujeito, mas não são, estritamente falando, executadas pelo sujeito; (e) os limites do construcionismo ficam expostos naquelas fronteiras da vida corporal onde corpos abjetos ou deslegitimados deixam de contar como "corpos". Se a materialidade do sexo é demarcada no discurso, então esta demarcação produzirá um domínio do "sexo" excluído e deslegitimado. Portanto, será igualmente importante pensar sobre como e para que finalidade os corpos são construídos, assim como será importante pensar sobre como e para que finalidade os corpos não são construídos, e, além disso, perguntar, depois, como os corpos que fracassam em se materializar fornecem o "exterior" – quando não o apoio – necessário, para os corpos que, ao materializar a norma, qualificam-se como corpos que pesam.

Como, pois, podemos pensar a matéria dos corpos como uma espécie de materialização governada por normas regulatórias – normas que têm a finalidade de assegurar o funcionamento da hegemonia heterossexual na formação daquilo que pode ser legitimamente considerado como um corpo viável? Como essa materialização da norma na formação corporal produz um domínio de corpos abjetos, um campo de deformação, o qual, ao deixar de ser considerado como plenamente humano, reforça aquelas normas regulatórias? Que questionamento esse domínio excluído e abjeto produz relativamente à hegemonia simbólica? Esse questionamento poderia forçar uma rearticulação radical daquilo que pode ser legitimamente considerado como corpos que pesam, como formas de viver que contam como "vida", como vidas que vale a pena proteger, como vidas que vale a pena salvar, como vidas que vale a pena prantear?

Referências

DERRIDA, Jacques. "Signature, event, context". In Gerald Graff (ed.). *Limited, inc.* Evanston: Northwestern University Press, 1988.

DERRIDA, Jacques. As margens da filosofia. Porto: Rés, s. d.

FREUD, Sigmund. The ego and the id. Nova York: Norton, 1960.

LACAN, Jacques. *Escritos*. Rio de Janeiro: Jorge Zahar, 1998.

Autores e autoras

bell hooks é teórica feminista, crítica cultural, militante do movimento negro e professora de Estudos Feministas no Oberlin College. Autora de vários livros, entre eles: *Teaching for transgress* e *Outlaw cullture: resisting representations* (ambos publicados pela Routledge). Em português: "Intelectuais negras" (*Estudos feministas*, v. 3, n. 2, 1995).

Deborah Britzman é professora da Faculdade de Educação de York University, Canadá. Autora de vários livros, entre eles, *Lost subjects, contested subjects. Towards a psychoanalytic inquiry of learning* (State University of New York Press, 1998). Em português: "O que é esta coisa chamada amor – identidade homossexual, educação e currículo" (*Educação e realidade*, v.21, nº 1, jan/jun. 1996) e "Sexualidade e cidadania democrática" (In: Luiz H. Silva (org.). *A escola cidadã no contexto da globalização*. Vozes, 1998).

Guacira Lopes Louro é formada em História e foi professora do Programa de Pós-Graduação em Educação da Universidade Federal do Rio Grande do Sul até 2011. É fundadora e membro do Grupo de Estudos de Educação e Relações de Gênero (GEERGE). Entre suas publicações, destacam-se os capítulos "Mulheres na sala de aula" (do livro *História das mulheres no Brasil*, organizado por Mary del Priore e publicado pela Contexto em 1997) e "O cinema como pedagogia" (do livro *500 anos de educação no Brasil*, organizado por Eliane M. T. Lopes, Luciano Mendes Faria Filho e Cynthia Greive Veiga e publicado pela Autêntica em 2000); e os livros *Gênero, sexualidade e educação* (Vozes, 1997), *Um corpo estranho. Ensaios sobre sexualidade de teoria queer* (Autêntica, 2004) e *Flor de Açafrão. Takes, cuts, close-ups* (Autêntica, 2017).

Judith Butler é filósofa e teórica feminista. Professora na Universidade da Califórnia em Berkeley e no European Graduate School (EGS), na Suíça. Entre seus livros, destacam-se *Gender Trouble* (1990) e *Bodies that matter. On the discursive limits of "sex"* (1993), ambos publicados pela Routledge. No Brasil, pela Autêntica, publicou *Relatar a si mesmo: crítica da violência ética* (2015) e *A vida psíquica do poder: teorias da sujeição* (2017). Sobre a autora a Autêntica publicou, ainda: *Judith Butler e a teoria queer*, de Sara Salih (2012).

Richard Parker é antropólogo e professor da Universidade de Columbia, em Nova York, e do Instituto de Medicina Social da Universidade Estadual do Rio de Janeiro. Foi diretor e presidente da Associação Brasileira Interdisciplinar de AIDS (ABIA). Entre suas publicações em português, encontra-se o livro *Corpos, prazeres e paixões: a cultura sexual no Brasil contemporâneo,* publicado pela Best Seller em 1991.